AN ANTHOLOGY OF
FRENCH SURREALIST POETRY

An Anthology of
French Surrealist Poetry

Edited with an introduction by

J. H. MATTHEWS

MINNEAPOLIS
UNIVERSITY OF MINNESOTA PRESS
1966

Library of Congress Catalog Card No.: 64-66161

Published in the United Kingdom by
University of London Press Ltd

841.91
M43

For permission to use copyright material, grateful acknowledgement is due to the following: Cahiers du Sud, Marseille, and Jean Malrieu for poems from *Préface à l'Amour*; Gaston Puel, Veilhes par Lavaur, and Jean Malrieu for poems from *Vesper*; Librairie José Corti, Paris, for poems from René Char's *Le Marteau sans Maître*; Les Éditions du Seuil, Paris, for Poems by Aimé Césaire; Librairie Gallimard, Paris, and André Breton for poems by André Breton; Librairie Gallimard and Alain Jouffroy for a poem from *A Toi*; Librairie Gallimard and Michel Leiris for a poem from *Haut Mal*; Librairie Gallimard and André Pieyre de Mandiargues for a poem from *Dans les Années sordides*; Librairie Gallimard and Georges Schehadé for poems by Georges Schehadé; Librairie Gallimard for poems by Louis Aragon, Antonin Artaud, Robert Desnos and Paul Éluard; Éditions G.L.M., Paris, and Jehan Mayoux for poems by Jehan Mayoux; Éditions Robert Laffont, Paris, and André Pieyre de Mandiargues for poems from *Les Incongruités monumentales*; Éditions Jean-Jacques Pauvert, Paris, for quotations from André Breton's *Manifestes du Surréalisme*; Éditions Jean-Jacques Pauvert, and Jean-Claude Silbermann for poems by Jean-Claude Silbermann; Éditions Seghers, Paris, and Joyce Mansour for poems by Joyce Mansour; Galleria Schwarz, Milan, and Alain Jouffroy for a poem from *Tire à l'Arc*.

Thanks are due to André Breton for poems by Benjamin Péret, and to Alain Jouffroy for unpublished verse by Jean-Pierre Duprey.

The following have graciously granted permission to use published or unpublished poems by them: Jean Arp, Jean-Louis Bédouin, Robert Benayoun, Guy Cabanel, Pierre Dhainaut, Maurice Henry, Alain Jouffroy, Jean-Jacques Lebel, Gérard Legrand, Michel Leiris, E. L. T. Mesens, André Pieyre de Mandiargues, Philippe Soupault and Claude Tarnaud.

Part of the Introduction appeared in *Chicago Review*, vol. XIII, no. 4, Summer-Autumn, 1962, and is reproduced by kind permission of the editor.

Printed in Great Britain
by T. and A. CONSTABLE LTD, Hopetoun Street
Printers to the University of Edinburgh

to
PIERRE JOURDA

CONTENTS

INTRODUCTION

1. *Surrealism and Poetry*

BY common consent, active surrealism in France is regarded as dating from October 1919, when *Les Champs magnétiques* by André Breton and Philippe Soupault began to appear, serialized in the review *Littérature*. Any date so precise as this must necessarily be arbitrary, especially when one is considering a trend which the surrealists themselves have always claimed not to be limited to any particular moment in time. But the usefulness of this historical point of departure is not to be denied.

At that time both Breton and Soupault were declared and enthusiastic adherents of Dadaism, and the term 'surrealism' had not yet assumed the meaning to be attributed to it in Breton's *Manifeste du Surréalisme* (1924). Only gradually, in the light of experimentation of which *Les Champs magnétiques* was to be recognized as the first striking example, did those destined to become surrealists move towards an attitude that needed to be distinguished from Dadaism, and to some fairly systematized ideas which Breton attempted to codify in his first manifesto.

In *Entretiens* (1952), Breton has retraced an evolution in his own thought which led him to embrace Dadaism, and has spoken of the promise it appeared to hold for him when, in 1919, Tristan Tzara—who had participated in launching Dadaism in Zurich three years before—arrived in Paris. And on this phase of his career *Les Pas perdus* (1924) stands as an important document, without which some aspects of Breton's later development would not be fully comprehensible. Dadaism embodied a protest against art and literature as the consecrated image of a world that could do no better for itself than drift into war. Its iconoclasm, its disrespect for conventional modes of thought and artistic representation, its denial of the claims of good taste and standard practice all had one common orientation: the *tabula rasa*, the rejection of restraint and the assertion on behalf of the artist of a liberty undreamed of within the limits of art conceived as the image of respectable society. It was a potentially new realm of liberty to which Dadaism promised access and which Breton and several of his friends in Paris, recently demobilized and unwilling to take up again the thread of their pre-war lives, were so eager to explore. Tzara's celebrated 1918 Dada manifesto had for these young men a timely and exciting quality and an attraction they were incapable of resisting.

In recent years, it is worth noting, past hasty judgements on Dadaism have come under serious revision. For whereas the negative aspect of Dadaism, soon identified, provoked quick and firm condemnation, a clear understanding of the impetus art and literature in the twentieth century have gained from Dada's protest has taken time. So, if it is a matter of historical fact that Breton's search for a fully satisfying doctrine led him to feel dissatisfaction within Dadaism and finally to reject it—'Le *Manifeste Dada 1918* semblait ouvrir toutes grandes les portes,' we read in *Entretiens*, 'mais on découvre que ces portes donnent sur un corridor qui tourne en rond'—it is nevertheless true that Dadaism guaranteed Breton the independence of thought without which the emergence of surrealism might have been considerably delayed.

The significance of *Les Champs magnétiques* for the future surrealists lay in the technique it made available and the increased power this seemed to offer the poet. The technique in question was that of verbal automatism, a process in which the writer's pen is permitted to run over the page, recording whatever passes through his mind, without interference from rational control. Its significance was seen to lie in permitting the poet not only to capture images of startling beauty, but to draw inspiration from levels of consciousness normally insulated by the restraint exerted by reason. So important did this discovery appear that Breton offered in his *Manifeste du Surréalisme* this first definition:

SURREALISME, n.m. Automatisme psychique pur par lequel on se propose d'exprimer, soit verbalement, soit par écrit, soit de toute autre manière, le fonctionnement réel de la pensée. Dictée de la pensée, en l'absence de tout contrôle exercé par la raison, en dehors de toute préoccupation esthétique ou morale.

This definition prompted him to explain:

Le surréalisme repose sur la croyance à la réalité supérieure de certaines formes d'association négligées jusqu'à lui, à la toute-puissance du rêve, au jeu désintéressé de la pensée. Il tend à ruiner définitivement tous les autres mécanismes psychiques et à se substituer à eux dans la résolution des principaux problèmes de la vie.

Thus the history of surrealist activity over the past forty years has consisted in probing and extending the implications of this initial discovery, examined through poetry, painting, the novel and short story, the theatre, the cinema, photography, sculpture. . . .

The initial stress placed on automatism has tended to mask certain other major preoccupations that have left their mark upon surrealist poetry, no less than upon other manifestations of the surrealist spirit.[1] Meanwhile the surrealists' interest in dreams is so freely admitted that, for some, the direct transcription or imitation of dream experience constitutes the whole of surrealist art and literature. Breton did indeed write in his first manifesto,

> Je crois à la résolution future de ces deux états, en apparence si contradictoires, que sont le rêve et la réalité, en une sorte de réalité absolue, de *surréalité*, si l'on peut dire ainsi. C'est à sa conquête que je vais, certain de n'y pas parvenir mais trop soucieux de ma mort pour ne pas supputer un peu les joies d'une telle possession.

Even so, while dreams inspire several of the poems in the present collection, other classifications suggest themselves as more apt to accommodate certain of these texts, those notably that take the reader into the domain of the irrational and the marvellous, and those that evoke the experience of love. For the surrealist, in the medium of his choice, seeks to penetrate to the surreality of which Breton speaks. And in this connection an important statement from the *Second Manifeste du Surréalisme* (1930) calls for due consideration:

> Tout porte à croire qu'il existe un certain point de l'esprit d'où la vie et la mort, le réel et l'imaginaire, le passé et le futur, le communicable et l'incommunicable, le haut et le bas cessent d'être perçus contradictoire-ment. Or, c'est en vain qu'on chercherait à l'activité surréaliste un autre mobile que l'espoir de détermination de ce point. On voit assez par là combien il serait absurde de lui prêter un sens uniquement constructeur, ou destructeur: le point dont il est question est *a fortiori* celui où la construction et la destruction cessent de pouvoir être brandies l'une contre l'autre.

Only with this central ambition of surrealism clearly in mind can one hope to comprehend the role reserved for poetry in the surrealist revolt, which betokens anti-conformity on every plane, including that of social attitudes. For, as Breton makes plain in his second manifesto:

[1] See J. H. Matthews, *An Introduction to Surrealism*, The Pennsylvania State University Press, 1965.

Le problème de l'action social n'est, je tiens à y revenir, et j'y insiste, qu'une des formes d'un problème plus général que le surréalisme s'est mis en devoir de soulever et qui est *celui de l'expression humaine sous toutes ses formes.* Qui dit expression dit, pour commencer, langage. Il ne faut donc pas s'étonner de voir le surréalisme se situer tout d'abord presque uniquement sur le plan du langage et, non plus, au retour de quelque incursion que ce soit, y revenir comme pour le plaisir de s'y comporter en pays conquis. Rien, en effet, ne peut plus empêcher que, pour une grande part, ce pays soit conquis.

The optimism at the basis of surrealist thought is evidenced here, as is the motivation that gives surrealist poetry its meaning. And, though the special affection the surrealists have always shown for poetry is something to be accepted without question by all students of the surrealist spirit, so are the limitations imposed upon poetry by that spirit. If then we are to understand the scope of surrealist poetry, we must give some attention to these limitations and to the range and direction they authorize in verse.

An 'Art poétique', signed by Breton and Jean Schuster in the surrealist review *BIEF*[1] has provoked no comment from the critics. One might conclude from the latter's silence that they have nothing to add by way of comment upon the poetic principles of surrealism. Should we assume then that everything needing to be said about surrealist poetry was said during the twenties and thirties, and that this new statement called for no revised judgements? It is certainly true that the article in question adds little to, for instance, the *Notes sur la Poésie* published in collaboration by Breton and Paul Éluard as early as 1936 and, for this reason, would not require the critics to reconsider matters in a new light. What seems worth noting, however, is the fact that the judgements passed during the thirties, and even since then, now appear patently inadequate. They may be seen to be based more on impression, pre-judgement and even misconception than upon a systematic analysis of the aims the surrealists have set themselves in poetry. *Notes sur la Poésie* attracted no more serious critical examination in 1936 than 'Art poétique' in 1959. The silence noticeable in recent years about surrealism is but the confirmation of an attitude very consistently adopted by literary criticism to the quite complex question of surrealist poetic ambition and achievement.

[1] *BIEF, jonction surréaliste*, no. 7, June 1st, 1959.

It is of course most difficult to generalize, to sum up the characteristic features of this attitude. Yet a useful indication is furnished in at least one significant fact that comes to our notice if we read the critical remarks inspired by surrealism. Breton, for example, is generally respected more for his prose style and for his polemical skill than for the quite considerable body of verse he has produced since writing the *Manifeste du Surréalisme*. Aragon, Char and Éluard—and more recently Aimé Césaire and Yves Bonnefoy—prompted little critical comment until after their departure from surrealism. So if these writers have since claimed attention, it is rather as 'real poets' momentarily tempted from the true path by surrealism. Logically, then, those who have remained true to surrealism in inspiration and expression have been ignored, and sometimes quite blatantly. Among these, two may be cited as typical examples, and their work briefly considered as epitomizing characteristic surrealist attitudes in poetry.

It is more than forty years since Benjamin Péret began to write the poems and stories that have assured him a special place in surrealism. Yet his verse has received no acclaim, while his stories have passed unnoticed. His fidelity to the surrealist cause is freely admitted, of course. But, in the gradually evolving legend already beginning to surround surrealist activities, he earns more publicity now as the young priest-baiter of the twenties and thirties than as one who has contributed to a notable degree to the literature of the surrealist group. Péret remains for most of us the man who, on a questionnaire sent him by the *Nouveau Dictionnaire des Contemporains*, entered under the heading 'Distractions et Violon d'Ingres', the words *'insulter les curés'*. It is generally forgotten that Péret was the compiler of an *Anthologie de l'Amour sublime*, worthy of a place beside Breton's relatively well-known *Anthologie de l'Humour noir*, and the editor of an anthology, *La Poesia surrealista francese* superior in range and choice to the celebrated *Petite Anthologie poétique du Surréalisme* published by Georges Hugnet in 1934. And no one appears to have taken notice of the fact that Péret has left a succession of short stories unique among surrealist texts, and that he was a major surrealist poet. In fact, the remarkable neglect from which Péret's work has suffered is unparalleled in surrealist literature, except perhaps by that which E. L. T. Mesens has experienced.

Abandoning a musical career, Mesens wrote his first series of poems, *Défense de Pleurer*, between 1923 and 1925, soon after Péret began to publish. It is understandable in some measure that his verse drew no attention: it remained largely unpublished until very recently, appearing only fragmentarily in surrealist reviews. But his published volume *Alphabet sourd aveugle* (1930), which appeared in 1935, provoked no response from the critics, who were to show themselves just as indifferent to the appearance in 1959 of his collected *Poèmes*.

If Péret merits recognition as the author of several of the most striking surrealist texts and of some of the group's most important theoretical articles, Mesens also has a distinctive place in the history of surrealism. He helped to form the surrealist group in his native Belgium before transferring, in the mid-thirties, to London. There he sponsored pictorial surrealism at his London Gallery, was a founder-member of the surrealist group in England, and placed at its disposal a review, *London Bulletin*, which ran from 1938 to 1940.

A rehearsal of these facts is not intended as a plea for indulgence on the grounds of these writers' allegiance to surrealism—which, after all, no one questions—or of their notable contribution to strengthening its influence and disseminating its principles. But a reminder of their prominent part in the activities of the past four decades has the effect of making one wonder why Péret and Mesens have succeeded in drawing to their own work so little attention, in comparison with certain other surrealists, who have not necessarily published any more than they. Must our conclusion be that the orthodox surrealist risks paying the price of his loyalty, by alienating those who reveal themselves well content to welcome back to the fold any who have turned away from surrealism, or whom it has repudiated? This is not a matter of idle speculation, but one of some urgency for it raises incidentally the question of surrealism's attitude towards poetry and the relation this attitude bears to that adopted generally by literary criticism.

Péret, we may note, was not admitted to Pierre Seghers's 'Poètes d'Aujourd'hui' series—inaugurated, incidentally, some sixteen years before with a volume devoted to Éluard—until 1961, while Mesens still awaits this form of consecration. The task of selecting and presenting prose and verse texts by Péret was entrusted to Jean-Louis Bédouin, who had edited the Breton texts in the same series, in 1950. Posing in his introduction a question of central importance, Bédouin seeks to account for the enigmatic silence surrounding Péret's work, and comes to the conclusion that an acceptable answer is the one proposed by

Jehan Mayoux: 'Tout se passe comme si la critique, ne pouvant l'inclure dans quelque système explicatif lénifiant, incapable de réfuter ses propositions théoriques, avait décidé, faute de mieux, de recourir à son égard à la politique du silence'.[1]

No one will deny how frankly partisan are these views expressed on Péret by one surrealist and endorsed by another. But it must be admitted that should this explanation prove valid in the case of Péret, it must be accepted as equally true for Mesens. If Mayoux and Bédouin can be said to have correctly diagnosed the issues involved when Péret's work is in question, then they have just as appositely highlighted matters relevant to a discussion of the silence surrounding Mesens's poetic work, or for that matter Mayoux's own. Indeed, Bédouin permits us to infer as much, when he writes: 'Certes, cette politique n'est pas nouvelle, et Péret ne fut ni le premier ni le seul à en faire les frais. Elle est générale-ment pratiquée depuis de nombreuses années, par les adversaires du surréalisme.'

There might seem to be every reason for interpreting what Mayoux and Bédouin say as no more than a form of question-begging, or as an attempt to shift blame—that must obviously be placed somewhere—to other shoulders than those of the surrealists themselves. But, seeing that on no subject have ill-considered conclusions proved more fallacious than on surrealism, it is as well to examine at some length the questions raised by their claims. These introduce discussion of the very quality of surrealist poetry, and of the responses it is likely to provoke. Viewed from a different angle, of course, all the evidence would appear to point to the conclusion that literary critics share an unshakeable prejudice against surrealism. But such a conclusion would hardly seem realistic. Examination of the facts suggests an alternative explanation, less likely to do injustice to either side.

Critics have looked to surrealist poetry for something they have not been able to find in it. Satisfied that their own criteria are viable and essential to poetic success, they have proceeded to the conclusion that surrealist poetry is at best only partly successful; that it betrays serious weaknesses for which they can see no justification or excuse. As the criteria they have adopted have been tested against the finest poetry of the past, they have no hesitation in placing every confidence in their

---

[1] 'Benjamin Péret, la Fourchette coupante', in *Le Surréalisme, même*, no. 2 and no. 3, 1957.

B

own judgement and in expressing the views to which this leads them. Phrased in another way, their reluctance to comment upon surrealism reflects a sense of distance separating them from this form of poetry. And what is more, this indifference discernible on their side is counter-balanced by lack of concern in the surrealist poets for the kind of recognition they have to offer.

At this point the necessity to give careful consideration to public declarations like Breton and Schuster's 'Art poétique' presents itself. These statements, so unaccountably disregarded by those critics who judge surrealist poetry, all take care to draw attention to the crux of the matter, by stressing the very distinctive attitude the surrealists have adopted both towards poetry and to its place in human life. Thus when Mayoux emphasizes that Péret, from the outset, assumed in the surrealist group 'les fonctions d'agressivité et de discrimination', one need not doubt that he was referring to something more than the scandalous character of Péret's over-publicized anti-social gestures. He had in view especially the state of mind of which such gestures were the expression: an attitude well reflected in the verse of Péret. Thus the true surrealist permits us to understand that the pronouncements surrealism makes about poetry and the demands to be made by it must be the first concern of anyone whose ultimate aim is an acceptable and accurate assessment of the poems he has given us.

Initially, it is true, surrealism may appear to have been inconsistent in the approach it has seen fit to adopt towards poetry. Even a cursory reading of the statements which they have made public permits one to appreciate that the surrealists have much in common with Stéphane Mallarmé in attaching a mystical value to poetry. Nevertheless one of the first collective announcements published by the surrealist group in 1925 declared among other things their lack of concern for literature. Literature, they were at pains to stress, was to be for them simply a means—one of many of which they proposed to avail themselves. Here may be seen the reaffirmation of a principle that is more consistent than might be expected, and which had in earlier days led the future leaders of surrealism to name a review they founded 'Littérature', *par anti-phrase*. And so surrealism has remained closer to Mallarmé than is commonly admitted, by developing the distinction Paul Verlaine drew between *literature* and *poetry*. The poetry that interests the surrealists is that which is endowed with qualities that elevate it beyond the level of mere communication, to that higher form of comprehension, which, they believe, is not attainable in any other way.

From the beginning, poetry assumed in surrealism a special value it has retained. This value is directly proportionate to the role reserved for it, not only in the exercise of creative energy, but in the solution of the problems of human existence. This is what has entitled the surrealists to bestow the title 'poet' on anyone whose work fulfils certain conditions—which they are at pains to specify—in the medium of his choice. Thus poetry becomes something more, something other than literature. Surrealism imposes demands that do not limit the poet's qualities to finding expression solely within the bounds of formal exercise. These qualities result and are conveyed rather in terms of the tension existing between the demands the poet makes of poetry and the demands poetry in turn makes of the poet. The situation of the surrealist is therefore a very special one. In one sense, his freedom is unfettered, and he can say with Breton and Schuster: 'Le poète n'a à se disculper devant aucun juge.' The absence of moral, religious and aesthetic restraint has the effect of only increasing his sense of liberty. Yet, on the other hand, exercise of this privilege depends for its authority upon an awareness and acceptance of a responsibility as exacting as it is precise.

In practice, no doubt, one may tend to lose sight of the controls the surrealist poet so deliberately imposes upon himself. In France especially, his total negligence of form is particularly offensive and is seen as revelatory of a deeper negligence, even an indifference to the very dignity of poetry. Considered apart from the convictions that lend it support, the surrealists' carelessness readily attracts prompt and often fierce condemnation. What is more, the surrealists have frequently expressed themselves in declarations that seem calculated to provoke such condemnation. So Breton and Schuster proudly proclaim in the name of the surrealist poet: 'J'ai fait fi de la cadence, de la rime, j'ai décapité les mots. "Allons, la musique." Foin des discours!' And again: 'J'ai banni le clair, dénué de toute valeur. Œuvrant dans l'obscur, j'ai trouvé l'éclair. J'ai déconcerté. J'ai sonné l'émeute, affronté monstres et prodiges, fait flamboyer tout ce qui exaspère le besogneux et la bonne âme.'

One's first inclination may be to see here a desire to innovate, at best a laudable attack upon conventional modes of poetic expression, disturbing perhaps, but provocative and stimulating—in this surrealism would be simply following Dadaism's lead. But what should be especially noted in these characteristic remarks is the formulation of an impulse taking its vitality from an instinct to use poetry in a way fundamentally new. All too often the aggressive tone the surrealist affects—and, we have Breton's word for it, believes to be essential to the preservation of the purity of his aims—is interpreted as proof of narcissism. And it is certainly the case that surrealism goes beyond nonconformism to deliberate provocation. Statements like the following by Breton and Schuster are quite typical: 'Je me suis proposé d'être inimitable. J'ai montré ma maîtrise, je n'ai pas dissimulé mes audaces. J'ai rejeté les disciplines communément acceptées. J'en ai inventé d'autres à mon seul usage.' The essence of surrealism, then, is in its refusal to compromise. This refusal is exemplified in Péret's short stories, for example, in which the reader finds himself precipitated without warning into a world disconcertingly foreign to that of common experience. In Mesens, too, may be detected—as the opening lines of *Le Mari aride* testify—an unwillingness to meet the public on any terms but those of the author's choosing. In the pages that follow numerous similar examples will be found that indicate that Mesens was not speaking for himself alone, when he composed the brief verses entitled *Le Lutteur endormi*:[1]

> Non. Non. Je ne suis pas écrivain comme vous, Messieurs!
> Je ne tremperai jamais mon porte-lune dans un peu de lac.
> Merci.

Indeed, the tone the surrealist adopts has very frequently diverted attention from the content he wishes to express. This is not, for him, just a matter of attracting attention. Surrealism's iconoclasm is closely linked with its desire to assume the new disciplines it has invented for itself. It reflects pride, beyond question, but this is a pride taking strength from a poetic ambition the surrealists themselves have qualified as *promethean*.—'Je n'ai pas simulé le blasement, le bon sens et la sagesse des nations,' explain Breton and Schuster, 'J'ai constaté avec satisfaction que mes transports me tenaient à l'écart du troupeau de Panurge.'

The surrealist's sense of being different and his underlying need to feel different are well caught in these words. So is the vanity of the surrealist poet. But so, also, is his modesty; his awareness that he is reaching out through poetry for something that eludes his grasp and

[1] Dated September 1940, and published in his *Troisième Front*.

which, momentarily at least, may be immobilized long enough to afford revelation and brief contemplation. The motive force of surrealism is the belief that man may effect a breakthrough, and that surrealism offers him the means of at least standing on the threshold of a new experience. It is only in this way that one may appreciate the very essence of surrealist poetic ambitions, in all they aspire to achieve, and at the same time risk losing.

The surrealist approach endows poetry with a quality at once absolute and fragile. So much so, in fact, that much which poets of earlier generations have considered of importance is immediately invalidated. Poetry, for the surrealist, is not something to be improved on by hard work, polished up in the light of reflection, or under the pressure of aesthetic preoccupations. If it is to have meaning, this must be in proportion to an unquestionably inevitable character. Once more we are confronted with a conviction that seems to release the poet from any sense of restraint or obligation. And once more it must be acknowledged that something else is in question. For the surrealist, poetry either exists or it does not. Thus the poet either succeeds or he fails, and can never offer himself the comfort of a compromise, or a half-way position.

This point calls for particular stress when a whole series of pronouncements come under examination that follow the pattern of Breton and Schuster's: 'Le travail, la peine? Connais pas. Je me suis souvenu qu'il était pour l'eau, entre la pluie et la source, un cheminement facile, indubitable. Je me suis présenté comme la source, produisant naturellement une eau pure. Les vers jaillissent d'emblée.' Apparently betraying a self-indulgent arrogance, stemming from misplaced confidence in facility, this statement underlines a fact of fundamental importance that no one approaching surrealist poetry can afford to ignore. It introduces one of the tenets of the surrealist creed that make it clear the poet functions by inspiration rather than by application. Through Breton and Schuster, the surrealist poet has no hesitation in affirming:

> J'ai été assez téméraire pour me glorifier de ma hardiesse et la re-commander comme un principe. Mes imprudences furent toujours heureuses, j'en conçois de la fierté. J'ai compté surtout sur les présents du sort, les provoquant sans mesure pour accentuer la forme de mon imagination, et la générosité de mon cœur. Je les ai acceptés avec orgueil, me réjouissant encore de ne les devoir qu'à moi-même.

Now the influence of Mallarmé takes second place to a conviction, never doubted, but repeatedly declared, in the beneficent contribution the poet may demand of chance.

Mesens's *Alphabet sourd aveugle* is a series of twenty-six poems, one for each letter of the alphabet, all of which were written in two afternoons, at the Edith Cavell Clinic in Brussels. Each poem incorporates a number of lines all beginning with the same initial letter. Mesens's method here recalls Breton's injunction in his first manifesto, where we are told that the flow of poetic inspiration released in automatic writing, if momentarily interrupted, may be set in motion once more by the arbitrary selection of any initial letter as a new departure point. In other words, the technique Mesens turns to account indicates the importance attaching in surrealism both to games and to chance, in artistic creation. Deliberately placing himself under the restrictions that must weigh on anyone wilfully electing to begin each line of a poem with a letter like X or Y or Z, Mesens appeals through chance to the genius of language itself and, like his reader, watches the poem develop, in a manner very similar to that of Max Ernst, who has related[1] how he has observed 'as a spectator', some of his own canvases taking form:

> **Z**éphyr
> élé
> ézaye
> ut au zouave.

To the inevitable question: How serious is this?, comes the equally inevitable reply: Not at all. When humour incorporates such potent destructive power, in opposition to convention and preconception, what need has surrealism to be serious? This question is tacitly posed in many of the poems of Péret, where, quite often, as in *Nuits blanches*,[2] the mood is set from the very first lines:

> Passée la caisse de camemberts
> le petit hanneton s'est perdu dans le désert
> où le jambon a failli mourir de faim
> Il court à droite et à gauche
> mais à droite et à gauche il ne voit que des
> tomates blanchies à la chaux.

So if the surrealists have consciously rejected those means of attaining

---

[1] See *Beyond Painting*, New York, Wittenborn, Schultz, Inc., 1948.
[2] In *De Derrière les Fagots*, 1934.

poetic perfection traditionally practised, they have sought to replace
these with other methods more pertinent, devised with that special
social function in mind which surrealism reserves for poetry. It is
evident that in surrealism all techniques are valid that make the poet
more receptive to the revelations of chance and permit him to take the
fullest advantage of the discoveries it makes possible. We need not doubt
what the surrealist's answer will be to accusations of irrelevance and
impertinence, to the proposition that poetry should be other than Péret
and Mesens make it. He may not cultivate conscious bad taste as the
outward sign of anti-conformity to the degree that his Dadaist pre-
decessor did. But he does agree with Dadaism in claiming for the artist
the right to express that to which he is inspired in a manner personal to
him. He will take his stand with Mesens, who prefaces his collected
verse with this poem, from *Défense de Pleurer*:

> PRIS A LA TAILLE
>
> Vu par un éléphant
> Je suis grand
> Vu par une fourmi
> Je suis petit
> Rien d'étonnant dès lors
> Que vous ne me fassiez
> Aucune confiance
> Homme moyen
> De condition moyenne
> Et d'esprit moyen.

Humour, invective, bawdry—these are just some of the methods by
which the surrealist poet preserves his independence, exploiting pur-
posely all that separates him from the standards in which critics agree to
believe. But the irresponsibility of the surrealist is not just the outward
sign of self-indulgence. Nicolas Calas makes this plain when he writes:

> To *responsibility* the surrealists oppose *revelation*. From *inspiration to
> revelation* and from there again to further inspiration! These are the
> units in the *rhythmical movement* of the poet's life. The result is
> *marvellous* (as opposed to *mysterious*).[1]

Thus, to understand the trust the surrealists have placed in chance,
one need only remember that surrealism purports to be primarily a

[1] 'Towards a Third Surrealist Manifesto', in *New Directions in Prose and
Poetry*, 1940.

means of penetration and discovery, beyond the confines of the habitual, rationally acceptable world. To the surrealist, chance and coincidence are the very image or at any rate the reflection of a side of reality at present obscured from sight by the world in which we live. His faith in chance is therefore not accidental but indicative of a deliberate refusal to be bound by the controls imposed upon human existence as man is obliged to accept it, and symptomatic too of a wish to transcend these limitations, in the revelation and exploration of a mode of experience owing its laws to the only authority surrealism recognizes and upholds: man's desire.

This is what gives chance and the practice of certain automatic techniques their special value in surrealist thought. In the final analysis, it matters little whether the individual surrealist invokes the aid of chance momentarily or habitually. And if the exact contribution it makes cannot be accurately assessed, even by the poet himself, this does not matter either. What counts is that this contribution, however slight or intermittent it may be, is welcomed, even when it is not deliberately sought. The surrealist attitude in this matter confirms what has already been noted: indifference to the requirements of formal perfection points to a refusal on the part of the surrealists to be conscious artists. Their willingness to invite in their writing the direct intervention of chance and automatism shows them, instead, to be intentionally unconscious artists.

'Cette voie m'a choisi. L'idée de réussite ou d'échec est au bout de mon pied,' remark Breton and Schuster, so demonstrating how surrealism's controversial practice of automatism is to be regarded. It is not a question of sensationalism, a form of public self-confession finding justification in Freud. Automatic techniques mark a consistent and clearly logical stop in a process of discovery and revelation that the surrealists have always insisted is primarily, for them, a process of self-discovery and self-revelation. Whatever the shortcomings of the method—and the surrealists must be given credit for seeing there are some—it cannot be ignored that the favour it has enjoyed for so many years results in part from surrealism's conception of the role of the poet as *medium*. Automatism does not reflect the principle of facility, but points to the poet's realization of his true purpose, and marks his assumption of the duty he imposes upon himself: to place himself at the disposal of a certain form of inspiration which, he does not decline to admit, takes advantage of him in order to find expression. The use of automatic techniques is a reminder that the surrealist poem serves to canalize an inspirational source, but makes no claims beyond this. Here is a source the poet can never hope to dominate, control or exhaust. Nor would he wish to do so, as it offers him the opportunity to communicate with a world of experience where he believes all human aspirations find their fulfilment. So Éluard claimed, in *Donner à Voir*: 'On a pu croire que l'écriture automatique rendait les poèmes inutiles. Non: elle augmente, développe seulement le champ de l'examen de conscience poétique, en l'enrichissant.' Bearing in mind that the whole purpose of surrealism is to prospect the surreal, we may comprehend the interest automatism offers the surrealist, more inclined to trust himself to this than to methods more conventionally acceptable.

Surrealism's confidence in automatic techniques raises the essential question of the relationship the surrealist seeks to establish between himself and his public, a relationship directly conditioned by the new scales of values surrealism proposes. Nicolas Calas comments pertinently: 'It is false to say, as is usually said, that each book should be written as if it were the last. No! Whatever is written is written to achieve something beyond itself; whatever is done must be a step towards a fresh conquest.'[1] Here the tension surrealism knowingly imposes upon itself is clearly evidenced, making plain that, for the surrealist, the act of writing poetry is no pastime, or indeed a convenient means to bemuse an antagonistic audience, or stimulate a jaded one to renewed attentiveness. Surrealism exemplifies a philosophy of immanence that sees the world of true existence not divorced from the world about man, but contained within it, waiting to be uncovered. For this reason, the surrealist poet sees it as his duty to precipitate a revelation by any methods available, however violent they may be, however revolutionary they may appear. As he becomes fully aware of his task, so he comes to value the irrational and to give it precedence over the rational, the unconscious over the conscious, in his attempt to bring to the surface that immanent reality which, Conroy Maddox claims, is 'the precise manifestation of a new mode of representation',[2] to which surrealism aspires. Aiming to be the voice that springs from what Maddox calls 'the undetermined region of the mind', surrealist poetry is the means

[1] 'The Light of Words', in *Arson, an ardent review*, 1942.
[2] 'The Exhibitionist's Overcoat', in *New Road*, 1943.

B*

through which men may seek to come into contact with the sibylline world lying behind the façade of accepted reality.

In this line of thought must be sought the motivation underlying the wilfully destructive imagery characteristic of so much surrealist verse. The poet seeks to discredit all that lends stability to the world about him, seeking instead to make us aware of the existence of a higher form of reality to which he reaches out through poetry. As a consequence, he finds himself relatively unimpeded in his search by considerations relating to the communicable character of his poems. He is in agreement with Breton and Schuster, who write: 'Je n'ai jamais eu le souci de prouver. La poésie n'est pas un métier: l'impatience et l'orgueil gardent son berceau. Je me suis abstenu des platitudes et des évidences. On force les serrures, non les images.' Like them, he wishes his public to realize that

> Mes vers rappellent à chaque mot qu'ils sont la négation de la prose ('C'est oracle, ce que je dis.') Chaque vain effort pour réduire leur énigme, pour éviter leur piège réclame une nouvelle glose. On ne perce pas leur secret. A le vouloir désespérément, on rend plus insondable leur beauté... La poésie échappe à l'insipidité, à la servilité et à la futilité de la prose, ce qui est inappréciable... Mes vers surprennent immédiatement. Tout les distingue du langage ordinaire et l'âme s'émerveille que le mot équivoque, que la syllabe longue et trouble la ramène frémissante dans les bois.

The continuity between Dadaism and surrealism, so easily lost from view, is brought out in these words; though Dadaism's mistrust for facile communication has now taken on a new meaning. Just as Dadaism placed itself outside art to invite reconsideration of the very basis of art, so surrealism—as its poetry shows—eludes critical commentary so far as this postulates criteria other than its own. So, though the surrealists' indifference to generally-practised critical approaches proves their fundamental nonconformity and expresses their decision to contract out of society—just as the Dadaists had done—it goes further than this. It demonstrates that we are in the presence of a firm conviction seeing no solution in any effort to explicate the imagery to which the surrealist poet's beliefs and technical preoccupations bring him.

When Breton and Schuster affirm, 'J'ai exprimé ce qu'on tenait, avant moi, pour inexplicable,' they go far towards explaining why obscurity is a risk the surrealist not only faces but—if we are to believe Éluard (who went so far as to suggest it to be necessary)—even finds inevitable. The surrealist poets give ample proof in their verse, as well as in their comments upon poetry, of being totally indifferent to the demands that would be made of them by the necessity to make themselves rationally comprehensible. And yet the poet is unwilling to give up his ambition to be a medium, unwilling to abandon his promethean struggle, undertaken on behalf of all men. Logically enough, therefore, he places his trust in those levels of the human sensibility that do not need rational appeal to fire their response. These—so similar, after all, to the levels from which he has drawn inspiration—are attuned to the message the surrealists have set themselves the task of transcribing. This transcription, it goes without saying, admits of no interference from the reasoning mind, and its communication is equally released from the need to invoke rational response. But this is not to deny that the intermediary position of the poet, standing between a message he frankly regards as subliminal and his public, is a precarious one. All too often, he finds himself defenceless against misrepresentation, so that the gravity of the surrealist role of medium is somewhat obscured. For if the surrealists habitually practise their own brand of irresponsibility that rejects any sense of obligation to their public, theirs is an irresponsibility that conceals a characteristic form of responsibility; this, while it is determinedly anti-intellectual, recognizes the prime necessity for seeking, through poetry, a revelation of the universe of the surreal.

In surrealism there is no occasion for marking time, no release for the artist from the obligation to pursue his explorations to the maximum of his power. When, in the middle fifties, the new review *Le Surréalisme, même* was launched, Breton was quoted in the newspaper *Arts*[1] as saying:

Cette revue a pour but de répondre à la confiance et à l'interrogation souvent pressante de cette partie de la jeunesse qui objecte à se laisser passer le nœud coulant. Elle veut affliger et confondre, une fois de plus, ceux qui—depuis trente ans—s'entêtent à proclamer la mort du surréalisme, de garantir la stricte autonomie du témoignage surréaliste, tout de fidélité et de conséquence avec lui-même. Nous voulons poursuivre dans le sens qu'un tiers de siècle d'obstruction et de ruse n'a pu parvenir à controverser, la quête d'une toujours plus grande libération de l'esprit.

[1] See Gilbert Ganne, 'Qu'as-tu fait de ta jeunesse?' in *Arts*, no. 560, March 21st-27th, 1956.

Breton's words are worth recalling as proof that surrealism has as its
very essence to be a quest. This characteristic has given to its techniques,
in poetry as much as elsewhere, their special quality. The surrealists
have sought for themselves and for others not a set of literary or
pictorial devices, but valid methods of investigation.[1] Their search has
led them to set special store by freedom, of the sort that ensures
complete liberty of choice and which is, consequently, the guarantee of
the fullest opportunity for the individual to avail himself of any of the
choices presenting themselves. There is every reason to conclude that
for Breton, as leader of the surrealist group, surrealism can continue to
be a living movement only so long as it is seen to be the expression of an
instinct reflecting a deep need to explore and to discover. And Breton has
emphasized that this exploration must be undertaken by the individual
alone, and on his own behalf.

This may appear to be in contradiction with certain of the experiments in collective creativity which the surrealists have conducted ever
since the twenties. But Breton has deemed it needful to stress that we
cannot rely upon the efforts of others. Each must attempt to tread the
path of total comprehension for himself, and though he may benefit
from signposts erected by those who have preceded him, he must not be
tempted to wait by the wayside, when he has reached the point beyond
which no one appears to have gone. Here lies the true significance of the
rhythmic progression to which Calas has referred—the creative rhythms
of which he speaks show revelation to be the result of inspiration, and at
the same time a starting point, a source of momentum for further
inspiration.

In such ways as these, surrealism revitalizes the whole question of
what poetry is for, as it leads us to pose the problem of the function of
the artist in relation to his work and to society. The paradox finding
expression in *Notes sur la Poésie* need not detain us long. Though we are
informed in this text that the surrealist poet should 'se glorifier de ce
dont il est le moins responsable', when following the advice of Breton
and Éluard the poet loses only a *certain kind* of control—the kind the
surrealists believe would render him unfit to transmit the subliminal
message. Thus he *finds himself*, and his work implicates the reader to

[1] See my 'Surrealism and the Cinema', in *Criticism*, 1962, 'Du Cinéma
comme Langage surréaliste', introducing 'Surréalisme et Cinéma', special
number of *Études cinématographiques*, 1965, and 'The Case for Surrealist
Painting', in *The Journal of Aesthetics and Art Criticism*, 1962.

the extent that it invites participation in the vertiginous play of dissociated images, and complicity in the rejection of the everyday world of banal relationships. Not that the surrealist tries especially to control the response his work prompts in the reader. His approach to poetry relieves him of the obligation either to foresee or even to envisage any particular form of response. Éluard offers the fullest support to this sort of irresponsibility, promulgated not out of indifference but in a mood of hopeful anticipation, when he declares the poet to be the man who inspires, rather than the man who is inspired. Poetry, as Éluard would define it on behalf of the surrealists, works by what he calls 'contagion'. Its force is suggestive, not didactic, and thus will serve to effect the purpose it shares with surrealist painting. In Breton's phrase, it aims to bring human imagination to the point at which it has only to make 'le saut final'. This is the moment of which he wrote in *Prolégomènes à un Troisième Manifeste du Surréalisme ou Non:*

> Il va venir tout à l'heure des équilibristes dans des justaucorps pailletés d'une couleur inconnue, la seule à ce jour qui absorbe à la fois les rayons du soleil et de la lune. Cette couleur s'appellera la liberté et le ciel claquera de toutes ses oriflammes bleues et noires car un vent pour la première fois pleinement propice se sera levé et ceux qui sont là comprendront qu'ils viennent de mettre à la voile et que tous les prétendus voyages précédents n'étaient qu'un leurre.

The grandeur of this ambition has created stresses which underlie surrealist writing and painting and which, on the plane of human relationships, have sometimes spilled over in violent quarrels, public accusations, and bitter recriminations, just as it has brought certain of the surrealists to suicide. But if surrealism does not permit of half-way positions and entertains no thought of compromise, it does not admit debasement either: it cannot be *used* for any purposes other than its own.

This is to say that much of the condemnation the surrealists have brought down on themselves is, if not unfair, then misapplied, not to say irrelevant. What must receive special attention in any serious discussion involving considerations of surrealist techniques and attitudes, as expressed in poetry, is therefore the fact that such techniques are of secondary concern, while the attitudes in question are indicative of certain recurrent preoccupations dominating surrealist thought. In spite of their critics' persistence in ignoring this, the surrealists have never wavered in regarding literature and art as instruments, as means of proposing, clarifying points of view, and of envisaging the consequences of the problems these oblige them to face: even when the consequence must for the time being be a question mark. Did not Breton write in his *L'Amour fou*: 'La plus grande faiblesse de la pensée contemporaine me paraît résider dans la surestimation extravagante du connu par rapport à ce qui reste à connaître'? It is this characteristic approach to literary creation that must one day be acknowledged as the source of the seminal influence of surrealism upon the literature of a whole period— even that literature ostensibly taking its point of departure in violent and deliberate reaction against surrealist behaviour.

As early as 1930, Breton's second manifesto placed emphasis upon the concern of the surrealists to face one essential problem: '*celui de l'expression humaine sous toutes ses formes*'. At no time in its history, has surrealism neglected to keep well in view the demands made upon the artist by his self-imposed need to seek a solution, however incomplete and unsatisfactory, to this basic problem. And so surrealism's particular interest in language, especially poetic language, must be examined in relation to its attitude towards the problem of human expression, as the surrealists formulate it.

The surrealists attack a facile form of communication which consists in the totally uninspired exchange of commonplaces. At the time when Dada was ceasing to satisfy the demands he was inclined to make of it, Breton expressed this point of view when he affirmed that the function of language is *not to communicate*. Evidently, he had in mind the special poetic language it has been surrealism's concern to purify and raise to heightened acuity, so that it may fulfil the role for which it is destined. This is the poetic language of which Tristan Tzara wrote, after his reconciliation with Breton, in the fourth number of *Le Surréalisme au Service de la Révolution*, where he spoke of poetry as means of expression and opposed it to poetry as activity of the mind. It is to this second category that surrealism wishes to consign poetic language, thus demanding for it special powers. One cannot arrive at this language, the surrealist believes, with the help of intellectual detachment, by reflection, or thanks to erudition. And, above all, it is a language that cannot be measured by the degree to which it is immediately comprehensible. On the contrary, it tends to be, with utmost honesty, what Nicolas Calas has called 'the expression of the most profound desires of the individual'.

To this extent the surrealists are the direct descendants of the French Romantic writers. Indeed, Breton has explicitly stated that the surrealists have no objection to being regarded as 'the tail of Romanticism'. But, characteristically, Breton assures the autonomy of surrealist thought by adding, *'mais alors la queue tellement préhensile'*. For whereas the Romantic persisted in seeing himself as the centre of the universe— his work finding in this conception both its strength and its weaknesses —those taking inspiration from surrealism subscribe to the view put into words by Calas, who declared that surrealism 'is not interested in the *author as such,* the development of the individual is not essential'. Here is a return to Éluard's belief that the surrealist poet 'agit comme un phénomène contagieux. L'intelligence de la poésie ne vient qu'après.'[1] The Romantics recognized the poet's right to feel for all men. But the surrealists see their purpose as less the projection of a particularized artistic sensibility than the communication of a message in which all, poet and readers alike, intuitively find something meaningful.

In *L'Immaculée Conception,* Breton and Éluard invited their readers to take inspiration from the spaces between the lines; just as, a little later, Éluard was to say, 'Les poèmes ont toujours de grandes marges blanches, de grandes marges de silence, où la mémoire ardente se consume pour recréer un délire sans passé.'[2] These statements underscore the deliberate dismissal by the surrealists of a certain form of poetic language. Speaking for his friends, Breton has condemned openly 'la surestimation d'*une* des vertus du langage: son pouvoir d'échange immédiat'.[3] Words—and the surrealists are not alone in appreciating the fact—tend to become defaced, like old coins, if their use continues to be purely mechanical and utilitarian. This is why surrealism wishes to rejuvenate words, and even to give them a vitality they have never known. Here is the motive impelling Éluard to declare:

Il faut aussi admettre que lorsqu'il y a confusion totale entre l'image réelle et l'hallucination qu'elle a provoquée, aucune méprise n'est possible. La ressemblance entre deux objets est faite autant par l'élément subjectif qui contribue à l'établir que des rapports objectifs qui existent entre eux.[4]

[1] Quoted by André Delattre, 'Personal Notes on Paul Éluard', in *Yale French Studies,* 1948.
[2] 'Physique de la Poésie', in *Minotaure,* no. 6, December 1934.
[3] Interview with René Bélance, in *Haïti-Journal,* December 12th-13th, 1945, reproduced in *Entretiens.*
[4] 'Le Miroir de Baudelaire', in *Minotaure,* no. 1-2, June 1st, 1933.

What lends special significance to this remark is that the subjective element of which Éluard speaks is not considered in surrealism to be the sole prerogative of the author of the poem. Éluard shows as much when drawing attention to the margins of silence surrounding it. This element of subjectivity may be supplied—and may require to be supplied —by the reader. In this way he finds himself caught up in the poem, in such a manner that poetry can no more be for him than for the poet a matter of recollection in tranquillity. This is what Aragon meant when in his *Le Paysan de Paris* he wrote that surrealism is 'l'emploi déréglé et passionnel de la stupéfiante image, pour elle-même et pour ce qu'elle entraîne dans le domaine de la représentation de perturbations imprévisibles et de métamorphoses; car chaque image à chaque coup vous force à réviser tout l'univers'.

Another of Aragon's statements, borrowed this time from his preface to the catalogue *La Peinture au Défi* is illuminating at this stage. Discussing the 'marvellous', which Péret calls 'cœur et système nerveux de toute poésie', Aragon wrote:

> Le merveilleux s'oppose à ce qui est machinalement, à ce qui est si bien que cela ne se remarque plus, et c'est ainsi qu'on croit communément que le merveilleux est la négation de la réalité. Cette idée un peu sommaire est conditionnellement acceptable. Il est certain que le merveilleux naît d'un refus d'*une* réalité, mais aussi du développement d'un nouveau rapport, d'une réalité nouvelle que ce refus a libérée.

To the extent that the surrealist revolt tends to effect such a liberation one must accept its efforts as constructive rather than destructive; its results positive, not negative. So it may one day be shown that the degree to which surrealism will have marked success or failure depends largely on the extent to which it has brought about this liberation, or failed to do so.

Surrealist ambitions are enriched by the conviction all surrealists share with Breton that they must seek 'un nouvel âge d'homme'. In this search, poetry is invested with special powers, so that David Gascoyne, in a 'Premier Manifeste anglais du Surréalisme', written for *Cahiers d'Art* in 1935, announces surrealism to be 'un instrument à travers lequel parle une voix universelle et pure'. This apparently innocuous remark is charged with real meaning when related to Georges Hugnet's declaration:[1] 'There is no possible excuse for regarding the poetic experiments of the surrealists in an aesthetic light.' The residual influence of Dadaism makes itself felt here, as it does in Calas's assertion:

If surrealism distorts symbols it is because, on the social level, there is a need to reach negation through distortion. On the poetic level, the existing order can be both criticized and transcended. Surrealism aims at increasing insight, at revealing conflicts rather than smothering them under wreaths of flowers.[2]

Surrealism's urgent need to transcend as well as criticize the world about us finds support in these words, as they do in Gascoyne's manifesto, where poetry is called 'l'acte par lequel l'homme parvient à la plus complète connaissance de lui-même'—because the search instituted by surrealism continues to be one for self-knowledge. Here the penetration and exploration of the world of the surreal accompanies the fuller development of human imagination, in such a manner as to bring about the emancipation which it remains the purpose of surrealism to bring within man's capacity. Through poetry, in effect, surrealism proposes to try out man's capabilities, to enlarge and enrich them. A movement is envisaged that will enable the poet and his public to rise above the forms of existence to which habit and convention have reduced them, so that they reach what Jean-Louis Bédouin has called 'la vraie vie, enfin digne d'être vécue'.

The persistence with which the surrealists have remained true to this principle is strikingly evident. At about the time when he renounced Dadaism, Breton submitted a reply to an enquiry organized by the newspaper *Le Figaro*. He took the opportunity to declare publicly a faith which he has never lost, but which continued to nourish his poetic ambition when he came to compose his *Manifeste du Surréalisme*, and here we read:

L'homme propose et dispose. Il ne tient qu'à lui de s'appartenir tout entier, c'est-à-dire de maintenir à l'état anarchique la bande chaque jour plus redoutable de ses désirs. La poésie le lui enseigne. Elle porte en elle la compensation parfaite des misères que nous endurons.

The sense of paradise lost, which in its earliest days endowed surrealism with a pessimistic note inherited in some measure from

[1] '1870-1936', in Herbert Read (ed.), *Surrealism*, 1936.
[2] 'The Rose and the Revolver', in *Yale French Studies*, 1948.

Dadaism, dominates surrealist thought even when pessimism gives place to growing optimism such as shines through works like Breton's *Arcane 17*. The compelling attraction exercised by surrealism is, therefore, that it holds out to man the possibility of retrieving the sense of fulfilment of which life has deprived him. It does so by inviting him to participate in the regenerative activity of poetry, which Breton in a radio interview showed to be tending towards 'la récupération des pouvoirs originaux de l'esprit'. The essential tendency of surrealism is summed up in this word 'recuperation' while its potency finds its source in the trust the word presupposes.

Surrealism rests upon the belief in the ultimate possibility of paradise regained, though entirely outside the limits prescribed by Christian thought. So in one number of *Médium* Ado Kyrou proudly proclaimed: 'Nous n'attendons pas Godot.' Rejecting the religious overtones of Beckett's play, the surrealists reject with these the atmosphere of restraint they associate with religious faith. In the catalogue of the 1947 International Surrealist Exhibition, Georges Bataille affirmed that the absence of God does not mean that a door has been closed in our faces, but that we have been presented with 'l'ouverture de l'infini'. The passive acceptance of man's fate, which the surrealists see as so characteristic of Christianity, is the very opposite of surrealist aspirations as Breton has defined them: 'Nous voulons, nous aurons l'au-delà de nos jours.'[1] As a result, surrealist makes man the arbiter of his own fate, though every conquest he makes for himself is made on the part of all men. In the review *Cobra*, Jorn defined the real function of thought as to 'trouver les moyens propres à satisfaire nos besoins et nos désirs'. In the light of this definition one can see why the surrealists have come to place so much emphasis upon their kind of poetry as the contrary of literature. At best, literature is regarded as perpetuating, if not actually fostering, illusions. Through poetry, however, surrealism's hope is to unify dreams and human desire for increased knowledge. Poetry thus comes to be, in Hugh Sykes Davies's phrase, 'an essential means of actual living'. It is not surprising to find the surrealists, in these circumstances, admitting their ambition to be promethean: the demands to be made are exacting, and the rewards obtainable by no means assured. Yet even so, as Breton took care to explain during an interview, the surrealists differ from Albert Camus in believing the rock with which

---

[1] See *La Révolution surréaliste*, no. 4, July 15th, 1925.

it is Sisyphus' fate to struggle will one day finally split.[1] Man will attain freedom such as he has never known.

The liberty man is to conquer for himself through surrealism involves release from social and political pressures. But above all it will denote a rediscovery of the full potentiality of human imagination to remodel the world and existence itself, in accordance with man's desire. Georges Hugnet formulates this expectation when stating that the aim of surrealism is to 'overcome the obstacles which hide man'. When man rediscovers his true identity, surrealism teaches, he will see the world with new eyes. He will appreciate at last that the world of the surreal is not divorced from the world around him, but contained within it. He will become aware of a new series of relationships that justify Breton's declaration: 'Le surréalisme est ce qui sera.'

Within the broad framework of these ambitions the practice of poetry must take its prescribed place. It is therefore only in the context of their convictions that the technical devices of the surrealists can be viewed in true perspective. When a surrealist poem is obscure, this is not for obscurity's sake. It is because the poet believes himself entitled to claim, with Breton and Schuster: 'J'ai exalté les sentiments qu'on éprouve en aveugle et qu'on ruinerait à vouloir identifier. Grâce à moi, chacun maintenant s'y livre les yeux fermés. Il se sent avec eux dans une intimité nouvelle. Il est plus à l'aise dans son âme quand lui échappe ce qu'il tenait trop bien.' It is therefore not contradictory to recognize here darkness as the key to light, confusion as a method of approaching a new clarity.—'A d'autres,' proclaim Breton and Schuster, 'le soin de nourrir l'âme d'aliments de première nécessité, qui ne sont pas rares, quoique indispensables à sa médiocrité stagnante. J'ai voulu lui imposer des mets luxueux et étranges, venus des antipodes ou des abîmes.'

Many of the techniques the surrealists have proposed and practised lend themselves to imitation, and tend in this way to become stripped of meaning. Proof that this is the case is offered in the word 'surrealism' itself which has become a commonplace, so mishandled and distorted by usage as to have lost much of its significance for the general public. In the face of misapprehension, incomprehension and misrepresentation, however, the surrealist says, in the words of Breton and Schuster:

[1] Interview with Jean Duché in *Le Littéraire*, October 5th, 1946, reproduced in *Entretiens*.

'J'ai le cœur pur. J'ai scandalisé tous les imbéciles, sauf ceux qui dorment du sommeil du juste.'

But theirs is an insider's view, which they are privileged to hold. We, as outsiders, may rather be inclined to agree with Germaine Brée who, speaking for certain post-war poets in France, dismisses the claims surrealism makes for poetry as 'exorbitant'.[1] But it must be admitted that, when regarded from the point of view of the surrealists, this and similar criticisms do not carry much weight. It seems therefore appropriate to return to the interpretations of Mayoux and Bédouin, who speak of 'lutte sourde' and 'politique du silence'. Now we are entitled to go beyond the conclusions they propose, for these have the effect of suggesting that the present neglect of surrealism's characteristic poets is attributable largely to enmity against them. Taking a wider view and looking beyond individual cases, one may reasonably speak of an incompatibility existing between surrealism and its critics and resulting from determined attitudes on both sides.

One thing is certain. Criticism has been too quick to claim to assess what surrealism has accomplished in the field of poetic creation. Critics have sought to 'place' surrealist poetry in a given historical setting, and to review it against a range of aesthetic values which can have no appeal for the surrealists, and have exerted no influence upon their work. If then one day we may hope to establish what surrealism has contributed to French literature, this discovery will be incidental to an exhaustive examination of the manner in which the surrealists have approached poetry, of the demands they have made of it, and of the special qualities they have brought to its practice.

2. *Surrealist Poetry and the Reader*

In his *L'Amour fou* (1937), Breton devotes almost twenty pages to analyzing one of his own poems, *Tournesol*. The complexities of this text stand out as particularly acute, in view of the author's demonstration of its prophetic character, comprehensible, he argues, only in the light of events that occurred later. But the difficulties to be encountered

[1] ' "New" Poetry and Poets in France and the United States', in *Wisconsin Studies in Contemporary Literature*, 1961.

in *Tournesol* are not so exceptional that this poem may not be regarded as a summation of the problems facing the reader of surrealist verse. These problems are both serious and multiple, and for reasons not hard to locate. The surrealist follows Breton and Schuster in declaring, 'J'ai banni le clair,' because he considers, as they do, that it is 'dénué de toute valeur'. His prime concerns are summarized in the verbs his spokesmen use: *déconcerter, sonner l'émeute.* He is less preoccupied with the real world than with 'ce qui reste à connaître'. His function, as he sees it, is to capture and record impressions of the surreal, and not to attempt to explain these. This does not mean for him simply, in the phrase used by Breton and Schuster, rejection of 'les disciplines communément acceptées', but also attack upon the prejudices and preconception which give these disciplines their power over the human mind. So his verse is permeated by the conviction that, if language must cease to be regarded as just a means to communicate, it must become instead a means of exploration, finding justification for its use in what it helps to discover.

With such ambitions commanding his attention, the surrealist necessarily divests himself of any obligation towards his reader. He is too concerned with noting his findings to take into account the tastes of others. So he consistently and repeatedly weighs the balance in his own favour. Crying, with Breton and Schuster, 'On force les serrures, non les images', he uses imagery that does not aim to be explicative, and submits only reluctantly to explanation. Stress upon the need to break down obstacles erected by tradition or habit, emphasis upon the unexpected and the marvellous, and upon all that resists assimilation into the circumscribed universe of common experience—these are the vital characteristics of surrealist poetry, in which revelation counts for more than the portrayal of the familiar or the recognizable. Surrealism challenges the conditioned reflex, standard patterns and accepted interpretations. It welcomes and promotes the destructive spirit, so long as this is directed towards the greater affranchisement of the human imagination. It combats an image of the world and of the self formed by society, and urges opposition to the forces that restrict and divert desire into socially-acceptable channels. By its forms as much as by its themes, surrealism sets itself apart, shuns respectability in its pursuit of its own goals.

'L'analogie poétique', wrote Breton in *La Clé des Champs*, 'a ceci de commun avec l'analogie mystique qu'elle transgresse les lois de la déduction pour faire appréhender à l'esprit l'interdépendance de deux objets de pensée situés sur des plans différents, entre lesquels le fonctionnement logique de l'esprit n'est apte à jeter aucun pont et s'oppose *a priori* à ce que toute espèce de pont soit jeté.' Essentially, surrealist poetry is devoted to erecting bridges, and to encouraging man to pass over them to *the other side*. 'On sait maintenant', Breton asserted as a young man, 'que la poésie doit *mener quelque part.*'

Functioning, as Éluard puts it, by contagion, the surrealist poet inspires in the reader who is willing and able to participate, a sense of involvement which makes the reading of a surrealist poem an act of commitment, a process of identification upon the common basis of desire. 'Le lecteur', Georges Hugnet once remarked, 'écrit le poème'. Critical detachment offers little or no guarantee of success, when one approaches surrealist verse. If the poem is typically surrealist in seeking what Breton terms 'l'extension du possible', its significance must be judged in relation to the degree that it communicates a feeling of widening perception, of deeper understanding, of greater freedom in the direction the surrealist believes promises most. So the reader soon discovers that surrealist poetry offers no facile enticements, any more than it proposes simple evasion. Its basic aims continue to be too fundamentally revolutionary to permit of compromise. Verbal and analogical play then become the very projection into the everyday world of a taste for the *insolite* that must be regarded as of profound significance for the poet.

We touch here upon one of the myths that have nourished surrealist verse for four decades. 'L'important dans les mythes', explains Péret most pertinently in *Médium*, 'réside donc dans l'aspiration au bonheur qui y gît, la perception de sa possibilité et des obstacles qui se dressent entre l'homme et son désir. Bref, ils expriment le sentiment d'une dualité dans la nature dont l'homme participe et dont il ne voit pas la résolution possible au cours de son existence.' The myth which finds its elaboration in part through surrealist verse may have but scant appeal for those perfectly content with life. It may have but little vitality, either, for those who, though discontented, believe man must accept his fate. It has most meaning for those who feel within them the need to protest, who find themselves in consequence in agreement with Breton, who speaks in his *Prolégomènes à un Troisième Manifeste du Surréalisme ou Non* of opening 'les fenêtres sur les plus grands paysages utopiques', and who adds:

Une époque comme celle que nous vivons peut supporter, si elles ont pour fin la mise en défiance de toutes les façons convenues de penser, dont la carence n'est que trop évidente, tous les départs pour les voyages à la Bergerac, à la Gulliver. Et toute chance d'arriver quelque part, après certains détours même en terre plus raisonnable que celle que nous quittons, n'est pas exclue du voyage auquel j'invite aujourd'hui.

3. *Note on the Present Edition*

Comparison between five poetic anthologies devoted exclusively to surrealism[1] amply demonstrates to what extent such selections reflect personal taste. It is indeed true that, as Péret remarked when introducing his own, an anthology represents first of all a choice made by its compiler. As Péret also hints that this choice is designed to establish some sort of order and to offer the reader guidance, it is as well to introduce briefly the selection offered in the present volume, and to indicate what principles have dictated the choices made. If then the editor is guilty of deceiving his readers, at least he may be said to have done so inadvertently, being himself his first dupe.

If personal preference has played its part in influencing the selection of poets represented here, prejudice, so far as I have been able to recognize it in myself, has not. In fact, my first concern has been to correct certain erroneous impressions that may result from the deliberate exclusion by Hugnet of Aragon, Artaud and Desnos, and by Péret of Jouffroy. I have also attempted to take into account developments in surrealist poetic activity too recent to find an echo in Carmody and McIntyre's *Surrealist Poetry in France*, published already a decade ago. Thus, though it has proved impractical to attempt to give to every surrealist poet who has written in French even token representation, it may be claimed that, if an acceptable image of the range and power of surrealist poetry is not offered in this collection, then this at least has been the ideal at which I have aimed. Of necessity I have reluctantly

---

[1] Georges Hugnet, *Petite Anthologie poétique du Surréalisme*, Paris, Éditions Jeanne Bucher, 1934; F. J. Carmody & C. McIntyre, *Surrealist Poetry in France*, Berkeley, California Book Co., 1955; Benjamin Péret, *La Poesia surreali ta francese*, Milan, Galleria Schwarz, 1959; Aldo Pellegrini, *Antología de la Poesía surrealista*, Buenos Aires, Compañia general Fabril editora, 1961. Jean-Louis Bédouin's *La Poésie surréaliste* (Paris, Seghers, 1964) appeared after the present selection had been made.

omitted poets of merit, whose work calls for study before a final assessment of surrealism's achievement in poetry can be attempted. My only hope has been to capture an impression of surrealism in its characteristic aspects and moods, and in its continuing vitality.

If a selection like this one is to find justification, then this can only be so far as it has the effect of indicating some meaningful pattern in the efforts of a variety of poets, already spanning four decades. Yet how is one to detect and communicate a sense of pattern, except from a subjective view-point, which must be interpretive? It is evident that not all the writers whose names appear have been or are subject to an equal degree to the same moral, social, political or emotional pressures. Thus, for instance, it is to me a feature of surrealist poetry since 1945 that it does not reflect quite so acutely as did the early verse of Aragon or Péret especially, the need to project a feeling of revolt in terms of social and moral anti-conformism: the later poets, it would seem, have been able to take for granted the *distance* their elders felt constrained to create and establish through their writing.[1] There is in the verse of Dhainaut, notably, a serenity that presupposes a freedom earlier surrealists had to struggle more or less consciously to attain. If I make this point with some insistence, this is because to the extent that my selection mirrors impressions of this kind it must stand as exemplifying the perception of surrealism my reading of its poetry has given me.

But I would stress that the poems printed here have not been chosen to support any consciously-held thesis regarding surrealism. They record, quite simply, the dominant themes of surrealist writing as these have struck me. The poems chosen bear witness to my understanding of the existence in surrealist inspiration of certain constants, just as they must betray in what directions my interpretations are open to question. The constants that claim my attention are, to me, but the varied aspects of the central preoccupation upon which surrealism focuses: a revolt denoting the rejection of everyday existence and the assertion of another form of existence, initially more stimulating and ultimately more satisfying to the poet. Without returning to the careful classifications proposed by Pellegrini, one may say that the violent revulsion which determines the iconoclasm of Aragon allies itself with the corrosive humour of Péret. Meanwhile, the deceptively frivolous tone sometimes affected by Arp, Pieyre de Mandiargues, Henry or Mesens is comple-

[1] I have raised this question in 'Some Post-War Surrealist Poets', in *Yale French Studies*, no. 31, 1964.

mentary in its effect, releasing in the reader a vertiginous sense of insecurity. So it joins, too, the gravity of Breton, of Malrieu, or Mayoux. At the same time, the verbal simplicity of Éluard and Schehadé is not far distant from the sensuous, involuted style of Cabanel and Tarnaud, the astringent compression of the imagery of Dhainaut and Jouffroy, or even the violence of Mansour and Silbermann. In like manner, the subjects treated may vary, but they tend to be mutually enlightening, and frequently revolve significantly about one crucial theme the surrealists recognize as fundamentally revolutionary in value: love.

As the passage of time authorizes our situating of surrealism in historical context, we must recognize more and more that it has already taken an assured place in the literature and art of the twentieth century. We have already entered a phase which is, in certain of its aspects, post-surrealist. This is a phase in which some writers and painters evidence a reaction against surrealism, while others have evolved from it. So one is justified in speaking of surrealist influence in at least three different forms: that which has been maintained within the organized surrealist group; that which marks those who have passed through surrealism, either during their early years as creative artists, or before they discovered a manner of their own; that which has given direction to others, if only to the degree that they have responded negatively to surrealism's message.

In the circumstances, there is a danger that surrealism's influence may appear too diffuse for accurate assessment, too vague for serious examination. As my purpose in assembling the texts presented in this volume has been to offer as faithful an image of poetic surrealism as possible, this selection draws exclusively upon the writing of those who have publicly acknowledged their affiliation to surrealism—either by writing directly under its aegis, or by contributing to its reviews. Although, in the case of those destined later to earn wider popularity, the texts printed here reflect quite often a talent not yet self-assured, these have been chosen in preference to later poems from which surrealism is absent. This is not an anthology of verse by poets of diverse tendencies, once united in their passing allegiance to surrealism. It purports, instead, to indicate what sort of writing surrealism has prompted from a variety of individuals, as this may be judged from what they have produced while connected with the surrealist group, and regardless of what they have produced since. Those, then, who favour the later Aragon or Char, those for whom Éluard's association with surrealism was but incidental to the maturing of his poetic genius, may feel that the poems chosen to represent these writers in this selection hardly do justice to their gifts. Such readers must look elsewhere for the material of their choice. Those, however, who are interested to see how surrealism has influenced such poets, what response it has drawn from them, and what contribution they have made to its literature will find at least the elements of an answer, just as they will find they are given the opportunity to judge what surrealism has meant to certain other poets, for whom it has proved to be, not a passing phase, but a permanent source of inspiration.

Péret prefaced *La Poesia surrealista francese* with the declaration that only a surrealist is qualified, today, to assemble an anthology of surrealist verse. Therefore, though it is tempting to skirt the challenge implicit in his assertion, I cannot conclude without explaining how I have attempted to approach my task.

While someone outside surrealism cannot aspire to the authority that is the natural right of Bédouin, Hugnet, Pellegrini and Péret, I have hoped to find some compensation in the detachment their favoured situation has denied them. At the same time, however, I have found encouragement in the generous assistance received from Jean Arp, Jean-Louis Bédouin, Robert Benayoun, André Breton, Guy Cabanel, Pierre Dhainaut, Maurice Henry, Alain Jouffroy, Jean-Jacques Lebel, Gérard Legrand, Michel Leiris, Jean Malrieu, Jehan Mayoux, E. L. T. Mesens, André Pieyre de Mandiargues, Jean-Claude Silbermann, Phillipe Soupault and Claude Tarnaud. They have placed me under no obligation, but have left me freedom of choice from material, published or unpublished, they have made available to me.

Being assured of complete independence, I have come to understand that the most practical manner of expressing gratitude to these poets could only be to let them, so far as possible, speak for themselves. So this anthology aims at making accessible a selection of texts too many of which are increasingly difficult to come by.[1] Its sole purpose is to widen the reader's acquaintance with surrealism; to give him a glimpse

[1] Poems previously published are indicated by reference to the volume from which they are taken. Previously unpublished texts are distinguished by the absence of such identification. The only exceptions are texts taken from Alain Jouffroy's *L'Aube à l'Antipode, Carnet de Bord*, a verse collection that has remained unpublished.

of the range and richness of its poetry. But if it is my hope to arouse curiosity, my ambition is not to exhaust it. For this reason, the bibliographical information included is as full as I have been able to make it, within the limits of the French and English languages. My intention has been to provide a reading anthology. However, as some guidance is called for in approaching individual poets, I have preferred to turn to the poets themselves, leaving them to introduce themselves. Wherever possible, I have either borrowed appropriate quotations from published statements they have made, or prefaced poems with a few words kindly supplied by the author at my request. Next to the poets, those best able to speak of their work are fellow-surrealists, whose close acquaintance with their poetry permits them to assess in the perspective of surrealism its distinctive character and relevance.[1] To all go my grateful thanks for making this anthology possible.

[1] Unless a reference is given, the statement cited has not previously been published, and was composed with this edition in view.

POEMS

Louis Aragon

'Le surréalisme est l'inspiration reconnue, acceptée et pratiquée. Non plus comme une visitation inexplicable, mais comme une faculté qui s'exerce.'   *Traité du Style*

'Le vice appelé *Surréalisme* est l'emploi déréglé et passionnel de la stupéfiante image, pour elle-même et pour ce qu'elle entraîne, dans le domaine de la représentation de perturbations imprévisibles et de métamorphoses: car chaque image à chaque coup vous force à réviser tout l'Univers. Et il y a pour chaque homme une image à trouver qui anéantit tout l'Univers.'   *Le Paysan de Paris*

'Raison, raison, ô fantôme abstrait de la veille, déjà je t'avais chassée de mes rêves, me voici au point où ils vont se confondre avec les réalités d'apparence: il n'y a plus de place ici que pour moi.'   *Le Paysan de Paris*

'Nul n'aura été plus habile détecteur de l'insolite sous toutes ses formes...'   Breton, *Entretiens*

MIMOSAS

à la Démoralisation

Le gouvernement venait de s'abattre
Dans un buisson d'aubépines
Une grève générale se découvrait à perte de vue
Sous les influences combinées de la lune et de la
    céphalalgie
Les assassins s'enfuyaient dans la perspective des
    courants d'air
La victime pendait à la grille comme un bifteck
Une chaleur à claquer

45

Aussi faut voir si les casernes en entendaient de drôles
L'alcool coulait à flots par les tabatières des toits
Le métropolitain sortit de terre afin de respirer
Quand tout à coup il apparut
Au détour de la rue
Un petit âne qui traînait une voiture
Décorée pour la bataille des fleurs
Premier prix pour toute la ville
Et les villes voisines

LE MOUVEMENT PERPÉTUEL

SERRURE DE SÛRETÉ

Ma parole
La main prise dans la porte
Trop engagé mon ami trop engagé
Pour ainsi dire
Ou
Passez-moi le mot
Merci
Je tiens la clef
Le verrou se remet à tourner comme une langue
Donc

LE MOUVEMENT PERPÉTUEL

DÉCLARATION DÉFINITIVE

Fais un trou dans ma pauvre
Poche
Mais mon chéri et ton trousseau
De clefs
Qu'il tombe le vampire

Dans le ruisseau la boue l'ordure
Tant pis si les balayeuses
Mécaniques
Passent par là traînant leurs jupes
Démodées
Si les flics efflanqués se foutent
La gueule par terre
Le pied pris dans l'anneau
Pour la sûreté des dites
Clefs
Tant pis si les dames d'un air
Désapprobateur
Verrouillent leurs portes métaphysiques
Sur mon passage
Car
Je n'aime que toi

LA GRANDE GAÎTÉ

PARTIE FINE

Dans le coin où bouffent les évêques
Les notaires les maréchaux
On a écrit en lettres rouges
DÉGUSTATION D'HUÎTRES
Est-ce une allusion

On me fait remarquer que c'est pitoyable
Ce genre de plaisanterie
Et puis c'est mal foutu paraît-il
En temps que Poème
Car pour ce qui touche à la Poésie
On sait à quoi s'en tenir

Moi je n'ai pas fini de prendre en mauvaise part
Tout ce qui touche à la flicaille à la militairerie
Et plus particulièrement croa-croa aux curetages
Je n'ai pas assez le goût des alexandrins
Pour me le faire par-donner pan pan pan pan

Mais ici même si on ne sait d'où elle tombe
D'où tombe-t-elle d'ailleurs D'ailleurs
Il me plaît d'opposer à la clique des têtes à claques
Une femme très belle toute nue
Toute nue à ce point que je n'en crois pas mes yeux

Bien que ce soit peut-être la millième fois
Que ce prodige s'offre à ma vue
Ma vue est à ses pieds
Son très humble serviteur

LA GRANDE GAÎTÉ

TERCETS

Le trousseau de clefs tout aux belles chimères
Se fredonnait
Une chanson du bon vieux temps

Pauvre insensé tu n'as pas vu l'autruche
Qui s'apprête bis à te dévorer
Pauvre insensé

Elle a lissé avec la brillantine
Son poil d'oiseau
Avec la brillantine

Et maintenant elle a l'air de quelque chose
L'œil très intelligent
Le pied sûr comme une personne d'instruction

Qui dirait que dans sa patrie
On ne la considérait pas du tout
Les salons lui restaient lettre morte

Mais depuis qu'elle couche avec le parapluie
Tout le monde lui saute au cou
Elle sourit et dit Jolie parure

Le parapluie se frise la moustache
Et fait allusion à Joséphine de Beauharnais
Manière de se pousser du col

Dans une vie antérieure
Il aurait rêvé d'être pacha d'Egypte
Mais il se demande

Si dans une pareille aventure
Son harem aurait enfermé des houris ou des momies
Car il n'est pas très fixé sur l'Egypte

LA GRANDE GAÎTÉ

CHANSON A BOIRE

Si les verres étaient vraiment des verres
Et non des aérostats
Voguant la nuit vers les lèvres peintes
Les mains seraient-elles encore des oiseaux

Mains qui se ferment sur l'alcool
Mains qui étreignent le grisou

Les moutons qui paissent la nappe
N'ont pas peur des colombes à cause
De leur blancheur
Laisse-moi rire

Colombes vous n'êtes pas seulement redoutables
Pour le ballon captif qui me ressemble
Comme un frère mais
Aussi pour le plomb de la plaine

Regardez regardez comme les mains que j'aime
Au matin quand les enseignes lumineuses
Rivalisent encore avec l'aurore comme
Elles savent plier l'échine des moutons
Craquez vertèbres
Ah ah l'argenterie était fausse
Les cuillers comme des balles sont en plomb

LA GRANDE GAÎTÉ

'la langue ne vaut rien pour parler
pour parler servez-vous plutôt de vos pieds
que de votre langue chauve
pour parler servez-vous plutôt de votre nombril
la langue est bonne
à tricoter des monuments
à jouer du violon d'encre
à nettoyer des baleines galonnées
à pêcher des racines polaires
mais surtout la langue est bonne
à laisser pendre hors de la bouche
et flotter dans le vent'
                'Sciure de Gamme' in *Sciure de Gamme*

MONTE CARLO

les trois héritiers en fleurs se bercent sur leur tige de vanille
la plume nage dans le miroir au nombril de lumière
riez avec vos bras
trois fleurs offrent un diamant nubile au céleste gant
riez riez riez comme les diamants
les fleurs portent des gants de lumière
le nombril se promène en pantoufles de soufre
fashionable douceur
frisure de duvet
pétrification de frisson
végétation d'haleine exhumé
feu géométrique

riez riez riez comme la vanille
les trois fleurs offrent leurs gants aux nombrils
les trois héritiers en fleurs trompent leur perle
les trois perles sont prises dans le rouage des roses

LE SIÈGE DE L'AIR

LES SAISONS DE L'HORLOGE DE LA
FRAISE DES ANIMAUX VELOUTÉS ET DU BERCEAU

l'horloge nébuleuse se volatilise
les faces de la terre perdent l'incertain
les chemins se précisent
la joaillerie de mollusques sombre

non loin des diamants jumeaux
là où le sentier se termine
devant une fraise bleue
j'ai entendu respirer la douceur
et soupirer la sève

une forêt de clarté
se berce dans une forêt d'obscurité
des animaux veloutés,
s'affairent autour d'une source
la source en est furieuse
si étrange que cela paraisse

un souffle me cherche
il tâtonne comme un aveugle avec sa canne
il insiste à me chercher
une lourdeur sombre me revêt
j'aimerais dormir dans un berceau de terre

LE SIÈGE DE L'AIR

VIOLETTES ROUGES

les flèches fanent dans leur vol
les ailes se perdent vers le monde des feuilles
ailes et feuilles se confondent

des étoiles servent de grains de beauté
au ciel profond comme tes yeux
la cour des fleurs se cajole et rit
dans une lumière agenouillée

la chaîne des mirages se brise
au nuage incrusté de baisers
une journée embaumée
tombe d'une bosse de fruits
des griffes lâchent un menu larcin

un nuage vert danse sur deux jambes d'éclairs
ensuite les violettes poussent plus vite
des enfants beaux comme des violettes
dansent comme des nuages

des petits plus petits que d'ordinaire
s'entretiennent avec un petit invisible
j'oublie mon corps
le vivant se joint au mort
les jeux se disjoignent

des enfants beaux comme des violettes
dansent comme des vagues
ils accélèrent leurs sauts

ils dansent avec force et vigueur exaspérée
ils renversent le fourchu et le vierge
tout tourne roule se précipite
les violettes deviennent rouges

le jour se berce dans ses fluidités
ses couronnes de lumière

ses feuillages impérissables
le soir me tend une étoile
et sophie agite la fleur du rêve
dans la cloche du ciel

CE QUE CHANTENT
LES VIOLONS DANS LEUR LIT DE LARD

l'éléphant est amoureux du millimètre

l'escargot rêve d'une défaite de lune
ses souliers sont pâles et purgés
comme le fusil de gélatine d'un néo-soldat

l'aigle a des gestes de vide présumé
son pis est gonflé d'éclairs

le lion porte une moustache en pur gothique flamboyant
son cuir est calme
il rit comme une tache d'encore

la langouste a la voix bestiale de la framboise
le savoir-faire de la pomme
la compassion de la prune
la lascivité du potiron

la vache prend le chemin de parchemin
qui se perd dans un livre de chair
chaque poil de ce livre pèse une livre

le serpent saute avec picotement et picotement
autour des cuvettes d'amour
remplies de cœurs percés de flèches

le papillon empaillé devient un papapillon empapaillé
le papapillon empapaillé devient un grand papapaillon
   grandempapaillé

le rossignol arrose des estomacs des cœurs des cerveaux des
   tripes
c'est-à-dire des lys des roses des œillets des lilas
la puce porte son pied droit derrière son oreille gauche
sa main gauche dans sa main droite
et saute sur son pied gauche par-dessus son oreille droite

LE SIÈGE DE L'AIR

LES PIGEONS QUADRANGULAIRES

le chapeau est un nombril carré
le coq est une horloge emplumée
ma moustache est bien dressée
bien parfumée
et brille de rosée
le soleil tombe à genoux devant ma moustache
l'horloge emplumée chante
le nombril carré évolue
un petit ruisseau chaste me suit
ses innombrables petites mains
caressent des cailloux à la minute et des nageoires de génie

LE SIÈGE DE L'AIR

c*

VEINES NOIRES

dans mon cœur de brouillard
meurt la chimère des roses
un astre s'assied au bord de mon lit
il est vieux et lézardé

des araignées grises s'en vont à la file
vers l'horizon aux veines noires
elles s'en vont comme pour l'enterrement d'une fée
le vide soupire

mes pauvres rêves ont perdu leurs ailes
mes pauvres rêves ont perdu leurs flammes
ils se serrent les coudes
sur le cercueil de mon cœur
et rêvent de miettes grises

le jour réapparaît
mais je n'ai plus de forces
le ciel descend et me couvre
j'ouvre pour toujours les yeux

LE SIÈGE DE L'AIR

'Gare à vos logiques, Messieurs, gare à vos logiques, vous ne savez pas jusqu'où notre haine de la logique peut nous mener.

'Ce n'est que par un détournement de la vie, par un arrêt imposé à l'esprit, que l'on peut fixer la vie dans sa physionomie dite réelle, mais la réalité n'est pas là-dessous. C'est pourquoi nous, qui visons à une certaine éternité, surréelle, nous qui depuis longtemps ne nous considérons plus dans le présent, et qui sommes à nous-mêmes comme nos ombres réelles, il ne faut pas venir nous embêter en esprit.'

'A Table', in *La Révolution surréaliste*, no. 3

'Pour moi le surréalisme a toujours été une insidieuse extension de l'invisible, l'inconscient à portée de la main. Les trésors de l'inconscient invisible devenus palpables, conduisant la langue directement, d'un seul jet.' *A la grande Nuit*

Une grande ferveur pensante et surpeuplée portait mon moi comme un abîme plein. Un vent charnel et résonnant soufflait, et le soufre même en était dense. Et des radicelles infimes peuplaient ce vent comme un réseau de veines, et leur entrecroisement fulgurait. L'espace était mesurable et crissant, mais sans forme pénétrable. Et le centre était une mosaïque d'éclats, une espèce de dur marteau cosmique, d'une lourdeur défigurée, et qui retombait sans cesse comme un front dans l'espace, mais avec un bruit comme distillé. Et l'enveloppement cotonneux du bruit avait l'instance obtuse et la pénétration d'un regard vivant. Oui, l'espace rendait son plein coton mental où nulle pensée encore n'était nette et ne restituait sa décharge d'objets. Mais, peu à peu, la masse tourna comme une nausée limoneuse et puissante, une espèce d'immense influx de sang végétal et tonnant. Et les radicelles qui tremblaient à la lisière de mon œil mental, se détachèrent avec une vitesse de vertige de la masse crispée du vent. Et tout l'espace trembla comme un sexe que le globe du ciel ardent saccageait. Et quelque chose du bec d'une colombe réelle troua la masse confuse des états, toute la pensée profonde à ce moment se stratifiait, se résolvait, devenait transparente et réduite.

Et il nous fallait maintenant une main qui devînt l'organe même du saisir. Et deux ou trois fois encore la masse entière et végétale tourna, et chaque fois, mon œil se replaçait sur une position plus précise. L'obscurité elle-même devenait profuse et sans objet. Le gel entier gagnait la clarté.

L'OMBILIC DES LIMBES

Avec moi dieu-le-chien, et sa langue
qui comme un trait perce la croûte
de la double calotte en voûte
de la terre qui le démange.

Et voici le triangle d'eau
qui marche d'un pas de punaise,
mais qui sous la punaise en braise
se retourne en coup de couteau.

Sous les seins de la terre hideuse
dieu-la-chienne s'est retirée,
des seins de terre et d'eau gelée
qui pourrissent sa langue creuse.

Et voici la vierge-au-marteau,
pour broyer les caves de terre
dont le crâne du chien stellaire
sent monter l'horrible niveau.

L'OMBILIC DES LIMBES

POÈTE NOIR

Poète noir, un sein de pucelle
te hante,
poète aigri, la vie bout
et la ville brûle,
et le ciel se résorbe en pluie,
ta plume gratte au cœur de la vie.

Forêt, forêt, des yeux fourmillent
sur les pignons multipliés;
cheveux d'orage, les poètes
enfourchent des chevaux, des chiens.

Les yeux ragent, les langues tournent
le ciel afflue dans les narines
comme un lait nourricier et bleu;
je suis suspendu à vos bouches
femmes, cœurs de vinaigre durs.

L'OMBILIC DES LIMBES

Les poètes lèvent des mains
où tremblent de vivants vitriols,
sur les tables le ciel idole
s'arc-boute, et le sexe fin

trempe une langue de glace
dans chaque trou, dans chaque place
que le ciel laisse en avançant.

Le sol est tout conchié d'âmes
et de femmes au sexe joli
dont les cadavres tout petits
dépapillotent leurs momies.

L'OMBILIC DES LIMBES

Jean-Louis Bédouin

'Partant du refus de la condition dérisoire faite à l'homme par les contraintes de toute nature, le surréalisme est recherche passionnée des "pouvoirs de l'esprit", tentative sans précédent de les lui restituer. L'idée que les limites à toute expression peuvent être abolies grâce à des méthodes appropriées le guide dans le domaine de la poésie qui est spécifiquement, mais non de façon restrictive, le sien. Dans la vie, il s'agit également pour lui de faire jouer les ressorts secrets de l'être afin de changer cette vie, qui ne nous est en quelque sorte que concédée, en une vraie vie, digne enfin d'être vécue.'

In *Médium*, Nouv. Série, no. 3

AU CIEL D'EN BAS

Doué d'excellente vision crépusculaire
Je vais très loin sous terre sur mon pied vertical
Par la crevasse où je me glisse
Chez les obscurs dont j'entends fouir les griffes
Plus bas toujours plus bas
Dans la poudre des cités mortes
Sans égards pour les ossements

Anneau de fer au doigt la princesse millénaire
Me fait dévier de mon chemin
Plus sombre toujours plus sombre
Est le monde par en-bas
Jusqu'où le serpent m'arrête
Très doucement

Déchirement des ténèbres blondes
Reflux de la rivière sans rive
Mon cri me revient sans écho
De l'eau noyée dans les pierres

Mais des ailes m'ouvrent le corps
D'où remonte le soleil blanc
Mille miles du fond des déserts
A l'océan d'une goutte de pluie
D'une goutte qui brille en plein jour
Sertie des poignards et des dards
Que lance ma tête sans yeux ni bouche

Tête étoilée
Sous l'oursin bleu de ses pensées
Où rêve la tiède aiguille de glace
Vision d'azur en taille-douce
Et floraison

Le chardon pique et me repousse
Pas assez vite
Pour me reprendre son secret
Le feu seul

LA QUESTION

La lourde porte
La sève y a coulé
La sève reviendra dans son lit
Je cherche à déchiffrer ces lignes de chance
A démêler ces nœuds de vie
Mais la porte ne répond pas
Elle reste obstinément fermée

Et nous sommes seuls
Un insecte et moi
Dans cette forêt qui s'arc-boute
De toute sa masse pétrifiée
De toute sa nuit
Contre la rumeur de l'espace
L'insecte détient peut-être
Ce que je cherche et qui me cherche
De l'autre côté
Le secret qui commande l'ouverture
Le franchissement du seuil
Sur lequel m'arrête
Interdit
L'incompréhensible innocence du monde
La question que me pose chaque matin
La lumière

Robert Benayoun

A RAVIR

La nature n'est pas modeste.
A sa place, le seriez-vous?
Elle a de l'avenir. Elle tient le bon bout.
Moi, je mise sur son va-tout,
Et sur ses arrière-pensées.
Rien ne vaut la nature, disais-je à mon fruitier.
Enlevez la nature: ce qui reste n'est pas fameux.
Remettez la nature en place: elle meuble terriblement.

LA, LE, ou LES,
C'est-à-dire BASILE

Le nez collé à la Baltique,
Il n'avait pratiquement rien lu.
L'herbe jaune offrait peu d'obstacles.
La falaise y perdit le pied.
Connaissez-vous, demanda-t-il,
Le nom de ce monstre bancal?
Permettez que je vous présente.

Je poussai le grand cri d'un livre qui se ferme.
A quoi pouvait ressembler ce tout petit grain d'orge,
Je me pose encore la question.

PERCEPTION DE LA LIGNE DROITE

Quand l'auto sera réparée je réglerai toutes mes dettes,
Je tuerai mon voisin et je peindrai ma salle de bains en jaune
  canari.
J'aurai un défaut de langue, et une garde-robe sans défaut,
Quand l'auto sera réparée.
J'aurai des silences recherchés.
Un air tranquille qui se monnaie fort sur les rives du Tchad.
Quand l'auto sera réparée, je serai beau.
Je serai bleu, avec une grande barbe rose et des oiseaux dans
  les cheveux.
J'achèterai le Taj Mahal,
J'y mettrai le chauffage central.
J'aurai la fortune, les femmes, la richesse, les femmes,
l'argent, les femmes, un compte en banque, les femmes, de
  l'oiselle, des femmes.
J'aurai des milliers et des milliers de femmes.
J'aurai aussi des femmes millionaires.
Je serai prodigue, pensez, quand l'auto sera réparée.

Quand l'auto sera réparée (Qui donc a dit que l'auto serait
  réparée?)
Quand elle sera réparée, il fera beau.
Les poissons se prendront la main deux par deux, pour y
  glisser un anneau d'or.
Les lavandières se parfumeront à la lavande.
On verra des narines d'hippopotame sur tous les trottoirs,

Et les églises s'écrouleront dans un grand bruit de mastication.
Une abeille aura le fou-rire.
Nous ne jetterons plus un seul regard vers le passé.
Nous serrerons les dents,
Nouerons un mouchoir noir autour de notre front baigné de
    camphre,
Nous dirons un dernier bonsoir au caprice des alcazars,
Nous piétinerons notre feu de camp,
Sans une seule rapsodie hongroise,
Et les yeux une bonne fois clos, nous partirons.

André Breton

'La faune et la flore du surréalisme sont inavouables.'
Premier Manifeste du Surréalisme

'En fin de compte, tout dépend de notre pouvoir d'hallucination volontaire.'
Point du Jour

'L'imaginaire est ce qui tend à devenir réel.'
'Il y aura une Fois,' in *Le Surréalisme au service de la Révolution*, no. 1

'Je n'ai jamais éprouvé le plaisir intellectuel que sur le plan analogique. Pour moi la seule *évidence* au monde est commandée par le rapport spontané, extra-lucide, insolent qui s'établit, dans certaines conditions, entre telle chose et telle autre, que le sens commun retiendrait de confronter. Aussi vrai que le mot le plus haïssable me paraît le mot *donc*, avec tout ce qu'il entraîne de vanité et de délectation morose, j'aime éperdûment tout ce qui, rompant d'aventure le fil de la pensée discursive, part soudain en fusée illuminant une vie de relations autrement féconde, dont tout indique que les hommes des premiers âges eurent le secret.' 'Signe ascendant', in *La Clé des Champs*

Ma femme à la chevelure de feu de bois
Aux pensées d'éclairs de chaleur
A la taille de sablier
Ma femme à la taille de loutre entre les dents du tigre
Ma femme à la bouche de cocarde et de bouquet d'étoiles de
    dernière grandeur
Aux dents d'empreintes de souris blanche sur la terre blanche
A la langue d'ambre et de verre frottés
Ma femme à la langue d'hostie poignardée

A la langue de poupée qui ouvre et ferme les yeux
A la langue de pierre incroyable
Ma femme aux cils de bâtons d'écriture d'enfant
Aux sourcils de bord de nid d'hirondelle
Ma femme aux tempes d'ardoise de toit de serre
Et de buée aux vitres
Ma femme aux épaules de champagne
Et de fontaine à têtes de dauphins sous la glace
Ma femme aux poignets d'allumettes
Ma femme aux doigts de hasard et d'as de cœur
Aux doigts de foin coupé
Ma femme aux aisselles de martre et de fênes
De nuit de la Saint-Jean
De troène et de nid de scalares
Aux bras d'écume de mer et d'écluse
Et de mélange du blé et du moulin
Ma femme aux jambes de fusée
Aux mouvements d'horlogerie et de désespoir
Ma femme aux mollets de moelle de sureau
Ma femme aux pieds d'initiales
Aux pieds de trousseaux de clés aux pieds de calfats qui boivent
Ma femme au cou d'orge imperlé
Ma femme à la gorge de Val d'or
De rendez-vous dans le lit même du torrent
Aux seins de nuit
Ma femme aux seins de taupinière marine
Ma femme aux seins de creuset du rubis
Aux seins de spectre de la rose sous la rosée
Ma femme au ventre de dépliement d'éventail des jours
Au ventre de griffe géante
Ma femme au dos d'oiseau qui fuit vertical
Au dos de vif-argent
Au dos de lumière
A la nuque de pierre roulée et de craie mouillée
Et de chute d'un verre dans lequel on vient de boire
Ma femme aux hanches de nacelle

Aux hanches de lustre et de pennes de flèche
Et de tiges de plumes de paon blanc
De balance insensible
Ma femme aux fesses de grès et d'amiante
Ma femme aux fesses de dos de cygne
Ma femme aux fesses de printemps
Au sexe de glaïeul
Ma femme au sexe de placer et d'ornithorynque
Ma femme au sexe d'algue et de bonbons anciens
Ma femme au sexe de miroir
Ma femme aux yeux pleins de larmes
Aux yeux de panoplie violette et d'aiguille aimantée
Ma femme aux yeux de savane
Ma femme aux yeux d'eau pour boire en prison
Ma femme aux yeux de bois toujours sous la hache
Aux yeux de niveau d'eau de niveau d'air de terre et de feu

L'UNION LIBRE

VIGILANCE

A Paris la tour Saint-Jacques chancelante
Pareille à un tournesol
Du front vient quelquefois heurter la Seine et son ombre glisse
    imperceptiblement parmi les remorqueurs
A ce moment sur la pointe des pieds dans mon sommeil
Je me dirige vers la chambre où je suis étendu
Et j'y mets le feu
Pour que rien ne subsiste de ce consentement qu'on m'a
    arraché
Les meubles font alors place à des animaux de même taille qui
    me regardent fraternellement

Lions dans les crinières desquels achèvent de se consumer les
    chaises
Squales dont le ventre blanc s'incorpore le dernier frisson des
    draps
A l'heure de l'amour et des paupières bleues
Je me vois brûler à mon tour je vois cette cachette solennelle de
    riens
Qui fut mon corps
Fouillée par les becs patients des ibis du feu
Lorsque tout est fini j'entre invisible dans l'arche
Sans prendre garde aux passants de la vie qui font sonner très
    loin leurs pas traînants
Je vois les arêtes du soleil
A travers l'aubépine de la pluie
J'entends se déchirer le linge humain comme une grande
    feuille
Sous l'ongle de l'absence et de la présence qui sont de conni-
    vence
Tous les métiers se fanent il ne reste d'eux qu'une dentelle
    parfumée
Une coquille de dentelle qui a la forme parfaite d'un sein
Je ne touche plus que le cœur des choses je tiens le fil

LE REVOLVER A CHEVEUX BLANCS

Au beau demi-jour de 1934
L'air était une splendide rose couleur de rouget
Et la forêt quand je me préparais à y entrer
Commençait par un arbre à feuilles de papier à cigarettes
Parce que je t'attendais
Et que si tu te promènes avec moi
N'importe où
Ta bouche est volontiers la nielle
D'où repart sans cesse la roue bleue diffuse et brisée qui monte

Blêmir dans l'ornière
Tous les prestiges se hâtaient à ma rencontre
Un écureuil était venu appliquer son ventre blanc sur mon
    cœur
Je ne sais comment il se tenait
Mais la terre était pleine de reflets plus profonds que ceux de
    l'eau
Comme si le métal eût enfin secoué sa coque
Et toi couchée sur l'effroyable mer de pierreries
Tu tournais
Nue
Dans un grand soleil de feu d'artifice
Je te voyais descendre lentement des radiolaires
Les coquilles même de l'oursin j'y étais
Pardon je n'y étais déjà plus
J'avais levé la tête car le vivant écrin de velours blanc m'avait
    quitté
Et j'étais triste
Le ciel entre les feuilles luisait hagard et dur comme une
    libellule
J'allais fermer les yeux
Quand les deux pans du bois qui s'étaient brusquement écar-
    tés s'abattirent
Sans bruit
Comme les deux feuilles centrales d'un muguet immense
D'une fleur capable de contenir toute la nuit
J'étais où tu me vois
Dans le parfum sonné à toute volée
Avant qu'elles ne revinssent comme chaque jour à la vie
    changeante
J'eus le temps de poser mes lèvres
Sur tes cuisses de verre

L'AIR DE L'EAU

MONDE

Dans le salon de madame des Ricochets
Les miroirs sont en grains de rosée pressés
La console est faite d'un bras dans du lierre
Et le tapis meurt comme les vagues
Dans le salon de madame des Ricochets
Le thé de lune est servi dans des œufs d'engoulevent
Les rideaux amorcent la fonte des neiges
Et le piano en perspective perdue sombre d'un seul bloc dans
 la nacre
Dans le salon de madame des Ricochets
Des lampes basses en dessous de feuilles de tremble
Lutinent la cheminée en écailles de pangolin
Quand madame des Ricochets sonne
Les portes se fendent pour livrer passage aux servantes en
 escarpolette

1935-1940

SUR LA ROUTE DE SAN ROMANO

La Poésie se fait dans un lit comme l'amour
Ses draps défaits sont l'aurore des choses
La poésie se fait dans les bois

Elle a l'espace qu'il lui faut
Pas celui-ci mais l'autre que conditionnent
 L'œil du milan
 La rosée sur une prêle
 Le souvenir d'une bouteille de Traminer embuée sur
  un plateau d'argent
 Une haute verge de tourmaline sur la mer
 Et la route de l'aventure mentale
 Qui monte à pic
 Une halte elle s'embroussaille aussitôt

Cela ne se crie pas sur les toits
Il est inconvenant de laisser la porte ouverte
Ou d'appeler des témoins

Les bancs de poissons les haies de mésanges
Les rails à l'entrée d'une grande gare
Les reflets des deux rives
Les sillons dans le pain
Les bulles du ruisseau
Les jours du calendrier
Le millepertuis

L'acte d'amour et l'acte de poésie
Sont incompatibles
Avec la lecture du journal à haute voix

Le sens du rayon de soleil
La lueur bleue qui relie les coups de hache du bûcheron
Le fil du cerf-volant en forme de cœur ou de nasse
Le battement en mesure de la queue des castors
La diligence de l'éclair
Le jet de dragées du haut des vieilles marches
L'avalanche

La chambre aux prestiges
Non messieurs ce n'est pas la huitième Chambre
Ni les vapeurs de la chambrée un dimanche soir

Les figures de danse exécutées en transparence au-
dessus des mares
La délimitation contre un mur d'un corps de femme au
lancer de poignards
Les volutes claires de la fumée
Les boucles de tes cheveux
La courbe de l'éponge des Philippines
Les lacés du serpent corail
L'entrée du lierre dans les ruines
Elle a tout le temps devant elle

L'étreinte poétique comme l'étreinte de chair
Tant qu'elle dure
Défend tout échappée sur la misère du monde

OUBLIÉS

'J'ai laissé les mots s'aimer, je les ai aimés. Ils sont venus en foule tonitruante. Beaucoup sont morts. J'écoute les survivants.

'Lorsque j'écris, j'aspire à une découverte qui ne pourrait pas avoir lieu autrement, et chacun des mots que définitivement je pose m'ouvre un horizon nouveau.

'Poésie: langage direct. Il troue comme une flèche, se joue de la raison, ignore l'intelligence; atteint le but sans intermédiaire.'

'La poésie de Guy Cabanel, à l'image d'un furtif éploiement d'éventail, où, dans l'espace du même battement d'aile, le langage s'ouvre aux plus fabuleux vertiges.'   Adrien Dax

'A chaque halte, Tchang Kouo Lao pliait son âne comme une feuille de papier puis le rangeait dans une serviette qu'il enfermait dans un coffret. Il l'aspergeait d'un peu d'eau pour lui rendre sa forme primitive.

'Cabanel plie aussi la serviette, la boîte, et comme l'eau dont il use est assez corrosive, la forme primitive est définitivement perdue: désir trop fort, métamorphose trop pressante. Guy Cabanel viole mécaniquement le langage usé, fardé, qui prend feu et retrouve les charmes convaincants, irrésistibles, inépuisables de la nudité ouverte.

'Cet immortel chinois—en qui certains voyaient la chauve-souris blanche issue du chaos—n'était qu'un banal apprenti: quand ses disciples ouvrirent son sépulcre, ils le trouvèrent vide.'   Robert Lagarde

Né d'un aileron de rat, le congre congolais fou de zythum ou de zythogala s'en va, flamme dans l'eau. Par les tourments du fleuve, l'avance à dos de crocodile, bouquet d'élaps autour des mains.

Personne n'entre par la porte ouverte, la pièce est pleine de vent, la voix de l'urubu fracasse le temps.

Quel est le combat dont souffre la vallée? L'amie d'un soir s'en est allée.

L'approche de la nuit froisse l'herbe des prés; mollet tendu contre la palpitation d'une joue. Voleur d'insectes, bateleur, organiste, apprécie-tu *la saveur dravidienne d'une femme rousse, le fantôme d'un vautour de chénevis*, et les pénombres égarées?

Fleur qu'on éveille à fleur de sentiment. Sur un lit de sable, le bruit d'un sanglot, dans un bras de mer, un chant d'acajou, et les délices de la nuit!

Un serpent de dentelle pour ceindre tes reins, une fougère noire pour caresser tes seins, un poulpe pour défendre ta tête dans la racine des cheveux, les jambes gainées de fourreaux de dagues; te voici prête pour le bal.

Tous les yeux de la nouvelle lune épient la courbe de tes hanches sous le baldaquin. Et tu songes, ensommeillée, au plaisir de *sucer une cuisse friponne sous le sceau défait d'un masque rotatif*.

'Hydroméduse'—MALIDUSE

Le seuil de glace ouvre sur le tragique dédale où suintèrent jadis des voix d'archéoptéryx.

Où flamme se brise, poussière d'incendie; si le péril s'efface, derrière le rideau, les fauves.

La maison superbe: personne ne passe à travers les murs de vent. Par les carreaux, faces inconnues, l'âtre où flamboient les rêves.

Arrêtez le monstre, il est la fumée dont vous êtes cernés! Proche comme l'ombre, distant comme un seigneur. Silhouette évaporée du sol murmurant, pureté des sons éteints.

Qui sait si le seuil de glace ouvre sur le tragique dédale fouillé des vampires égarants?

Le sort des captifs se joue sur une flûte, les détours excitent le regard, échange d'effusions.

D'un rivage à l'autre, c'est la lutte! Le sang couvert de baisers s'étire en ondulant!

Qu'une étoile file, qu'un cerf s'échappe en bondissant, la mouche aux lèvres rutile innocemment: prenez le mors aux dents.

En suivant le sillon blanc, l'ivoire des sabots. En se couchant dans un oiseau, au large!

Dissimulé sous les miroirs, sous les iris d'un mirage, le seuil de glace ouvre sur le tragique dédale.

'Alligator'—MALIDUSE

L'ODEUR DES ARTICULATIONS

Dans un filet d'eau
le rossignol;
un cri perdu
dans les vagues.

Avez-vous lavé
vos soirées?
la lune jette un reflet.

En descendant
j'ai croisé le bateleur
le long du fleuve,
batelier.

Mille éclats
le miroir,
au creux du sein,
vous avez frissonné.

Sur les rames, des fleurs
pour chasser
la mer dans les prés.

Sur la cuisse abandonnée,
les fleurs chassent
l'abeille dorée.

Aimé Césaire

'Parce que nous vous haïssons, vous et votre raison, nous nous réclamons de la démence précoce, de la folie flambante, du cannibalisme tenace... Accommodez-vous de moi. Je ne m'accommode pas de vous.'
'En guise de manifeste littéraire,' in *Tropiques*, no. 5

'Aimé Césaire est avant tout celui qui chante.

'La poésie de Césaire, comme toute grande poésie et tout grand art, vaut au plus haut point par le pouvoir de transmutation qu'elle met en œuvre et qui consiste, à partir des matériaux les plus déconsidérés, parmi lesquels il faut compter les laideurs et les servitudes mêmes, à produire on sait bien que ce n'est plus l'or, la pierre philosophale, mais bien la liberté.

'La parole d'Aimé Césaire, belle comme l'oxygène naissant.'
André Breton, 'Un grand poète noir', in *Hémisphères*, no. 2-3

MISSISSIPI

Hommes tant pis qui ne vous apercevez pas que mes yeux
   se souviennent
      de frondes et de drapeaux noirs
      qui assassinent à chaque battement de mes cils

Hommes tant pis qui ne voyez pas qui ne voyez rien
pas même la très belle signalisation de chemin de fer que
font sous mes paupières les disques rouges et noirs du
serpent-corail que ma munificence lave dans mes larmes

Hommes tant pis qui ne voyez pas qu'au fond du réticule
où le hasard a déposé nos yeux
il y a qui attend un buffle noyé jusqu'à la garde des yeux
du marécage

77

Hommes tant pis qui ne voyez pas que vous ne pouvez
m'empêcher de bâtir à sa suffisance
des îles à la tête d'œuf de ciel flagrant
sous la férocité calme du géranium immense de notre soleil

SOLEIL COU COUPÉ

SAMBA

Tout ce qui danse s'est agglutiné pour former tes seins toutes les
cloches d'hibiscus toutes les huîtres perlières toutes les pistes
brouillées qui forment une mangrove tout ce qu'il y a de soleil en
réserve dans les lézards de la sierra tout ce qu'il faut d'iode pour
faire un jour marin tout ce qu'il faut de nacre pour dessiner un
bruit de conque sous-marine

Si tu voulais
    les tétrodons à la dérive iraient se donnant la main
Si tu voulais
    tout le long du jour les péronias de leurs queues feraient des
    routes et les évêques seraient si rares qu'on ne serait pas
    surpris d'apprendre qu'ils ont été avalés par les crosses des
    trichomans
Si tu voulais
    la force psychique
    assurerait toute seule la nuit d'un balisage d'araras
Si tu voulais
    dans les faubourgs qui furent pauvres les norias remonteraient
    avec dans les godets le parfum des bruits les plus neufs dont
    se grise la terre dans ses plis infernaux

Si tu voulais
   les fauves boiraient aux fontaines
   et dans nos têtes
   les patries de terre violente
   tendraient comme un doigt aux oiseaux l'allure sans
     secousse des hauts mélèzes

SOLEIL COU COUPÉ

TON PORTRAIT

   je dis fleuve, corrosif
   baiser d'entrailles,
   fleuve, entaille, énorme étreinte
   dans les moindres marais,
   eau forcée forcenant aux vertelles
   car avec les larmes neuves
   je t'ai construite en fleuve
   vénéneux
         saccadé
            triomphant
   qui vers les rives en fleur de la mer
   lance en balafre ma toute mancenillière

   Je dis fleuve
   comme qui dirait patient crocodile royal
   prompt à sortir du rêve
   fleuve
   comme anaconda royal
   l'inventeur du sursaut
   fleuve
   jet seul comme du fond du cauchemar
   les montagnes les plus Pelées.

D

Fleuve
à qui tout est permis
surtout emporte mes rives
élargis-moi
à ausculter oreille le nouveau cœur corallien des marées
et que tout l'horizon de plus en plus vaste
devant moi
et à partir de ton groin s'aventure
désormais
            remous
                    et liquide

CORPS PERDU

'La clef du *Marteau sans Maître* tourne dans la réalité pressentie des années 1937-1944. Le premier rayon qu'elle délivre hésite entre l'imprécation du supplice et le magnifique amour.'

Feuillet pour la 2e édition, 1945

LE CLIMAT DE CHASSE
OU L'ACCOMPLISSEMENT DE LA POÉSIE

Mon pur sanglot suivi de son venin: le cerveau de mon amour courtisé par les tessons de bouteilles.

Ah! que dans la maison des éclipses, celle qui domine, en se retirant, fasse l'obscurité. On finira bien par retenir la direction prise par certains orages dans les rapides du crépuscule.

Dans l'amour, il y a encore l'immobilité, ce sexe géant.

Tard dans la nuit nous sommes allés cueillir les fruits indispensables à mes songes de mort: les figues violettes.

Les archaïques carcasses de chevaux en forme de baignoire passent et s'estompent. Seule la classe de l'engrais parle et rassure.

Quand je partirai longuement dans un monde sans aspect, tous les loisirs de la vapeur au chevet du grand oranger.

Dans mes étisies extrêmes, une jeune fille à taille d'amanite apparaît, égorge un coq, puis tombe dans un sommeil léthargique, tandis qu'à quelques mètres de son lit coule tout un fleuve et ses périls. Ambassade déportée.

Défense de l'amour violence
Asphyxie instant du diamant
Paralysie douceur errante.

L'ACTION DE LA JUSTICE EST ÉTEINTE

MÉTAUX REFROIDIS

Touriste des crépuscules
Dans tes parcs
Le filon de foudre
Se perd sous terre
Or nocturne

Habitant des espaces nubiles de l'amour
Le vert-de-gris des bêches va fleurir

Libérateur du cercle
Justicier des courants inhumains
Après le silex le gypse
La tête lointaine nébuleuse
Minuscule dans sa matrice glacée
Cette tête ne vaut pas
Le bras de fer qui la défriche
La pierre qui la fracasse
Le marécage qui l'enlise
Le lac qui la noie
La cartouche de dynamite qui la pulvérise
Cette tête ne vaut pas
La paille qui la mange
Le crime qui l'honore

Le monument qui la souille
Le délire qui la dénonce
Le scandale qui la rappelle
Le pont qui la traverse
La mémoire qui la rejette

Introuvable sommeil
Arbre couché sur ma poitrine
Pour détourner les sources rouges
Devrai-je te suivre longtemps
Dans ta croissance éternelle?

POÈMES MILITANTS

CONFRONTS

A Marcel Fourrier

Dans le juste milieu de la roche et du sable de l'eau et du feu
    des cris et du silence universels
Parfait comme l'or
Le spectacle de ciment de la Beauté clouée
Chantage

Dehors
La terre s'ouvre
L'homme est tué
L'air se referme

Les notions de l'indépendance sucrent au goût des oppresseurs
    le sang des opprimés
Les fainéants crépitent avec les flammes du bûcher
C'est la transmutation des richesses harmonieuses
Le langage des porteurs de scapulaire: 'Au crépuscule

A l'heure où les poissons viennent en troupeau
Respirer à la surface de la mer
Invariablement
La main à cinq hameçons
La main divine
Cueille le fruit du sel

Hypothétique lecteur
Mon confident désœuvré
Qui a partagé ma panique
Quand la bêche s'est refusée à mordre le lin
Puisse un mirage d'abreuvoirs sur l'atlas des déserts
Aggraver ton désir de prendre congé
Les vivants parlent aux morts de médecine salvatrice de
    tireur de hasard à la roue de la raison
Les armées solides sont liquides après la chimie des oiseaux
Les yeux les moins avides embrassent à la fois le panorama et
    les ressources de l'île
Plante souple dans un sol rude

Mais voici le progrès

Les mondes en transformation appartiennent aux poètes
    carnassiers
Les distractions meurtrières aux rêveurs qui les imaginent
A l'esprit de fonder le pessimisme en dormant
Au temps de la jeunesse du corps
Pour voir grandir
La chair flexible et douce
Au-dessus des couleurs
A travers les cristaux des consciences inflexibles
Au chevet de la violence dilapidée
Dans l'animation de l'amour
Lorsqu'elle passera devant le soleil
Peut-être le dernier simple incarnera la lumière

POÈMES MILITANTS

Robert Desnos

'Je me suis souvent demandé ce qui nous unissait aussi fortement. Probablement quelque chose d'indéfinissable qui ressemblait à l'affection, à la complicité et en même temps à la solidarité de ceux qui vont faire sauter une ville par esprit de révolte.'

'Déposition' in *Les Cahiers du Mois*, 1926

'Celui d'entre nous qui, peut-être, s'est le plus approché de la vérité surréaliste, celui qui... a justifié pleinement l'espoir que je plaçais dans le surréalisme et me somme encore d'en attendre beaucoup. Aujourd'hui Desnos *parle surréaliste* à volonté. La prodigieuse agilité qu'il met à suivre oralement sa pensée nous vaut autant qu'il nous plaît de discours splendides et qui se perdent, Desnos ayant mieux à faire qu'à les fixer. Il lit en lui à livre ouvert et ne fait rien pour retenir les feuillets qui s'envolent au vent de sa vie.'

Breton, *Premier Manifeste du Surréalisme*

DESTINÉE ARBITRAIRE

à Georges Malkine

Voici venir le temps des croisades.
Par la fenêtre fermée les oiseaux s'obstinent à parler
comme les poissons d'aquarium.
A la devanture d'une boutique
une jolie femme sourit.
Bonheur tu n'es que cire à cacheter
et je passe tel un feu follet.
Un grand nombre de gardiens poursuivent
un inoffensif papillon échappé de l'asile.
Il devient sous mes mains pantalon de dentelle
et ta chair d'aigle
ô mon rêve quand je vous caresse!

85

Demain on enterrera gratuitement
on ne s'enrhumera plus
on parlera le langage des fleurs
on s'éclairera de lumières inconnues à ce jour.
Mais aujourd'hui c'est aujourd'hui.
Je sens que mon commencement est proche
pareil aux blés de juin.
Gendarmes passez-moi les menottes.
Les statues se détournent sans obéir.

C'EST LES BOTTES DE SEPT LIEUES, CETTE PHRASE 'JE ME VOIS'

VIE D'ÉBÈNE

Un calme effrayant marquera ce jour
Et l'ombre des réverbères et des avertisseurs d'incendie
    fatiguera la lumière
Tout se taira les plus silencieux et les plus bavards
Enfin mourront les nourrissons braillards
Les remorqueurs les locomotives le vent
Glissera en silence
On entendra la grande voix qui venant de loin passera sur la
    ville
On l'attendra longtemps
Puis vers le soleil de milord
Quand la poussière les pierres et l'absence de larmes compo-
    sent sur les grandes places désertes la robe du soleil
Enfin on entendra venir la voix
Elle grondera longtemps aux portes
Elle passera sur la ville arrachant les drapeaux et brisant les
    vitres
On l'entendra
Quel silence avant elle mais plus grand encore le silence qu'elle
    ne troublera pas mais qu'elle accusera du délit de mort
    prochaine qu'elle flétrira qu'elle dénoncera

O jours de malheurs et de joies
Le jour le jour prochain où la voix passera sur la ville
Une mouette fantomatique m'a dit qu'elle m'aimait autant
    que je l'aime
Que ce grand silence terrible était mon amour
Que le vent qui portait la voix était la grande révolte du
    monde
Et que la voix me serait favorable

CORPS ET BIENS

LES ESPACES DU SOMMEIL

Dans la nuit il y a naturellement les sept merveilles du monde
    et la grandeur et le tragique et le charme.
Les forêts s'y heurtent confusément avec des créatures de
    légende et cachées dans les fourrés.
Il y a toi.
Dans la nuit il y a le pas du promeneur et celui de l'assassin et
    celui du sergent de ville et la lumière du réverbère et celle
    de la lanterne du chiffonnier.
Il y a toi.
Dans la nuit passent les trains et les bateaux et le mirage des
    pays où il fait jour. Les derniers souffles du crépuscule et
    les premiers frissons de l'aube.
Il y a toi.
Un air de piano, un éclat de voix.
Une porte claque. Une horloge.
Et pas seulement les êtres et les choses et les bruits matériels.
Mais encore moi qui me poursuis ou sans cesse me dépasse.
Il y a toi l'immolée, toi que j'attends.
Parfois d'étranges figures naissent à l'instant du sommeil et
    disparaissent.

D*

Quand je ferme les yeux, des floraisons phosphorescentes
    apparaissent et se fanent et renaissent comme des feux
    d'artifice charnus.

Des pays inconnus que je parcours en compagnie de créatures.

Il y a toi sans doute, ô belle et discrète espionne.

Et l'âme palpable de l'étendue.

Et les parfums du ciel et des étoiles et le chant du coq d'il y a
    2 000 ans et le cri du paon dans des parcs en flammes et des
    baisers.

Des mains qui se serrent sinistrement dans une lumière
    blafarde et des essieux qui grincent sur des routes médu-
    santes.

Il y a toi sans doute que je ne connais pas, que je connais au
    contraire.

Mais qui, présente dans mes rêves, t'obstines à s'y laisser
    deviner sans y paraître.

Toi qui restes insaisissable dans la réalité et dans le rêve.

Toi qui m'appartiens de par ma volonté de te posséder en
    illusion mais qui n'approche ton visage du mien que mes
    yeux clos aussi bien au rêve qu'à la réalité.

Toi qu'en dépit d'une rhétorique facile où le flot meurt sur les
    plages, où la corneille vole dans les usines en ruines, où
    le bois pourrit en craquant sous un soleil de plomb.

Toi qui es à la base de mes rêves et qui secoues mon esprit
    plein de métamorphoses et qui me laisses ton gant quand je
    baise ta main.

Dans la nuit il y a les étoiles et le mouvement ténébreux de la
    mer, des fleuves, des forêts, des villes, des herbes, des
    poumons de millions et millions d'êtres.

Dans la nuit il y a les merveilles du monde.

Dans la nuit il n'y a pas d'anges gardiens mais il y a le sommeil.

Dans la nuit il y a toi.

Dans le jour aussi.

CORPS ET BIENS

UN JOUR QU'IL FAISAIT NUIT

Il s'envola au fond de la rivière. Les pierres en bois d'ébène
les fils de fer en or et la croix sans branche.

Tout rien.

Je la hais d'amour comme tout un chacun.

Le mort respirait de grandes bouffées de vide.

Le compas traçait des carrés et des triangles à cinq côtés.

Après cela il descendit au grenier.

Les étoiles de midi resplendissaient.

Le chasseur revenait carnassière pleine de poissons sur la
rive au milieu de la Seine.

Un ver de terre marque le centre du cercle sur la circonférence.

En silence mes yeux prononcèrent un bruyant discours.

Alors nous avançions dans une allée déserte où se pressait la
foule.

Quand la marche nous eut bien reposé nous eûmes le courage
de nous asseoir puis au réveil nos yeux se fermèrent et
l'aube versa sur nous les réservoirs de la nuit.

La pluie nous sécha.

CORPS ET BIENS

'J'efface. Attente, naissance. Tout est souffle, baiser, poème... J'ai mon amour. Sur les plages désertes encore où nous demeurons, je trace ma ligne de vie.'

'Avec et pour la femme qu'il aime Pierre Dhainaut vit à mon horizon sur de longues plages aux lignes pures à la fois tendres et sévères.

'Sa poésie est transparente comme un matin de gel, les cristaux de l'image multiplient les rayons de l'amour pour éclairer le monde sensible. La juvénile préciosité qui s'y déploie fastueusement ne doit rien au passé ni à l'imitation. Avec elle la forêt merveilleuse ne fait qu'étendre son domaine.

'Tous les poèmes lus, Pierre sans hésiter pose sa voix. Saluons dès ses premiers recueils l'un des grands poètes de demain.'

Jehan Mayoux

Le chant des plages l'haleine
d'un baiser sur ta paupière

toute incandescence.

MON SOMMEIL EST UN VERGER D'EMBRUNS

Le nid des échos
où dort l'oiseau du vent

tes bas de fougères ruisselantes
tissent le tain d'un miroir
clé en flammes de la mer.

MON SOMMEIL EST UN VERGER D'EMBRUNS

Couchée sous des draps d'éternité
parmi tes robes d'étincelles
à longs plis de racines d'oyats

ton corps de sable et de buée

la pointe de tes seins fait vibrer
le cristal au fond des coquillages

se libérant de l'horizon
blanche en gerbes de rosée
la huppe du vanneau ta chevelure

tes yeux de phtisie galopante
ainsi qu'une aube de frissons

tu éveilles l'escarboucle qui entraîne
la marée montante
dans le tourbillon de ton ventre.

MON SOMMEIL EST UN VERGER D'EMBRUNS

AUBE LUSTRALE

Leurs pieds sont invisibles
le sommeil cache leur visage
des broussailles aux épines de nacre
dans la lumière naissante du jour
égratignent leurs doigts

porteuses d'eau venues des rives
du cratère d'un feu éteint

pareilles aux gouttes blanches
qui se détachent silencieuses
de la pointe des stalactites

vers la vie lentement
ou vers la mort.

*

Eau recueillie entre les cils
entre les lettres du prénom
de la femme que j'aime

eau de nos mains qui s'étreignent
à la lisière du sommeil

eau des murs de notre chambre
perdue entre les coups de vent.

*

Elles traversent maintenant
de longues rues enfouies
dans les frissons du ciel

seuils écroulés fenêtres mortes
rideaux d'écorce calcinée
poutres des toits forêt sans nid

l'eau croupit parmi les briques
suinte sur la ferraille

eau douce et froide sans image.

*

Dans la ville au bord du vent
elles s'arrêtent et se dévoilent

voici leurs lèvres entr'ouvertes
comme une plage dans la brume
leurs yeux où s'évapore
l'ivresse blonde des torrents
leurs joues quand le soleil
y moissonne la rosée

un peu de pluie ruisselant
sur leurs seins et leurs bras
un château se dresse.

*

Au bord du vent le long des douves
qu'un pont franchit de sa clarté

château de toutes les parures
de soie brûlante sur la pierre

château des ailes d'horizon
qui dessinent dans le ciel
alouette intransigeante
la couche bleue de notre amour.

'Jean-Pierre Duprey fut le poète le plus *noir* de notre génération. A cet égard, aucun des poètes qui ont fait entendre leur voix depuis la fin de la dernière guerre mondiale ne saurait lui enlever le prestige du *désespoir de cause*, qu'il a mieux que personne incarné jusqu'à sa mort.

'Peintre, sculpteur, Duprey était d'abord poète. C'est-à-dire qu'il était tragiquement seul, et qu'il en souriait. La mort, la vie étaient pour lui d'importance égale—presque nulle. Il avait atteint je ne sais quelle sagesse à l'envers de soi-même, qui lui permettait de faire face aux plus terribles évidences. L'impossible était pour lui *quotidien*.

'Sa mort, la décision surprenante qu'il a prise pour la provoquer, ont été pour quelques-uns de ses amis un coup de frein en rase campagne. Tout à coup, le paysage autour de nous devenait atrocement clair. Nous étions seuls, plus seuls que ne l'était Cendrars dans son Transsibérien, et nous faisions comme si nos amis et nos habitudes formaient un monde.

'Depuis que Duprey s'est suicidé, la poésie devient un mal lucide. C'est pourquoi ses poèmes ont tant de signification prophétique. A bien les comprendre, on s'aperçoit du danger que chacun de nous court innocemment dans la pratique quotidienne de la poésie. Certes, nous le savions; Nerval, Rimbaud, Maïakovski nous l'avaient appris. Mais qu'un ami, et presque un frère, nous l'ait rappelé, n'a pas été indifférent aux décisions que par la suite nous avons pu prendre.'

Alain Jouffroy

CHANSON A RECULONS

Un, deux, droit, sur l'épaule de son sort,
S'en remettant,
Un petit peu, en petite peau, à petits pas.

Le camarade Ballant
Disait: Je ne m'encombre pas
De ma mort couchée en roue
Dans les anneaux de mon être rond.

Mon affaire est sans prospérité
A la lumière de ce qui est.

Mon affaire a sa personnalité
Dans les anneaux de mon être-roue
Et ma personne se couche en rond,
Dans son encombrement personnifié.

Voyez, voyez, et maintenant recommençons,
Le décor a toujours raison.

Voici celui, sans tête, sans pied,
Qui n'en peut plus, qui ne peut rien
Et qui n'y peut plus rien,
N'ayant pour se déplacer
Que le coup de pied.

Voici, voici le Ballant ballotant,
Saluez ici le Baillant baillonné,
Sans bras, sans pied,
Mais en rond seulement.

Balloté de Rien à rien
Du tout, dans tout complètement;
Qui n'est que boule et
Qui boule seulement.

Mais comment, mais comment?

Parce qu'au commencement...
Parfaitement, parfaitement!
Car il faut un commencement et
Recommençons-le par le commencement.

published in BOÎTE ALERTE, MISSIVES LASCIVES, 1959

CRI

Un cri barré de foudre en jet enlumineur,
Appel happé sur un fil d'aiguille...
Au tranchant mouillé d'ombre,
Contre quoi s'est troqué
La tête mouillée noire,
L'oiseau de mal-passage
S'est barré les ailes en croix.
Armé de foudre sèche, un cri
Arrache la voix et crache la bouche...
Muet, creusé de sang, taillé
En pointes vives,
Le mort a desserré sa voix et morcelé
Son rire
En glaçons épousant les regards bleu-noyés.
Le glas fait pieusement au coulement du froid,
Au tranchant rouillé d'ombre,
Contre quoi s'est troquée
La tête mouillée noire,
Le cri file, un ciseau de deux pointes fermées.
L'oiseau d'ombre-passage,
S'ouvrant le corps au souffle bas,
A labouré la houle sourde
Puis,
Retenu, griffé, forcé,
S'est encastré aux griffes basses.

'Le surréalisme, qui est un instrument de connaissance et par cela même un instrument aussi bien de conquête que de défense, travaille à mettre à jour la conscience profonde de l'homme. Le surréalisme travaille à démontrer que la pensée est commune à tous et, pour cela, il refuse de servir un ordre absurde, basé sur l'inégalité, sur la duperie, sur la lâcheté.'

'La vanité des peintres, qui est immense, les a longtemps poussés à s'installer devant un paysage, devant une image, devant un texte comme devant un mur, pour les répéter. Ils n'avaient pas faim d'eux-même. Ils s'appliquaient. Le poète, lui, pense toujours à *autre chose*. L'insolite lui est familier, la préméditation inconnue.'

'L'imagination n'a pas l'instinct d'invitation. Elle est la source et le torrent qu'on ne remonte pas. C'est de ce sommeil vivant que le jour naît et meurt à tout instant. Elle est l'univers sans associations, l'univers qui ne fait pas partie d'un plus grand univers, l'univers sans dieu, puisqu'elle ne ment jamais, pusiqu'elle ne confond jamais ce qui sera avec ce qui a été.'

'Poésie pure? La force absolue de la poésie purifiera les hommes, tous les hommes. Écoutons Lautréamont: "*La poésie doit être faite par tous. Non par un.*" Toutes les tours d'ivoire seront démolies, toutes les paroles seront sacrées et l'homme, s'étant enfin accordé à la réalité, qui est sienne, n'aura plus qu'à fermer les yeux pour que s'ouvrent les portes du merveilleux.'
                                                                    Donner à Voir

La terre est bleue comme une orange
Jamais une erreur les mots ne mentent pas
Ils ne vous donnent plus à chanter
Au tour des baisers de s'entendre
Les fous et les amours
Elle sa bouche d'alliance
Tous les secrets tous les sourires
Et quels vêtements d'indulgence
A la croire toute nue.

Les guêpes fleurissent vert
L'aube se passe autour du cou
Un collier de fenêtres
Des ailes couvrent les feuilles
Tu as toutes les joies solaires
Tout le soleil sur la terre
Sur les chemins de ta beauté.

L'AMOUR LA POÉSIE

Les chemins tendres que trace ton sang clair
Joignent les créatures
C'est de la mousse qui recouvre le désert
Sans que la nuit jamais puisse y laisser d'empreintes ni
    d'ornières

Belle à dormir partout à rêver rencontre à chaque instant d'air
    pur
Aussi bien sur la terre que parmi les fruits des bras des
    jambes de la tête
Belle à désirs renouvelés tout est nouveau tout est futur
Mains qui s'étreignent ne pèsent rien
Entre des yeux qui se regardent la lumière déborde
L'écho le plus lointain rebondit entre nous

Tranquille sève nue
Nous passons à travers nos semblables
Sans nous perdre

FACILE

Nous avons fait la nuit je tiens ta main je veille
Je te soutiens de toutes mes forces
Je grave sur un roc l'étoile de tes forces
Sillons profonds où la bonté de ton corps germera
Je me répète ta voix cachée ta voix publique
Je ris encore de l'orgueilleuse
Que tu traites comme une mendiante
Des fous que tu respectes des simples où tu te baignes
Et dans ma tête qui se met doucement d'accord avec la tienne
    avec la nuit
Je m'émerveille de l'inconnue que tu deviens
Une inconnue semblable à toi semblable à tout ce que j'aime
Qui est toujours nouveau.

FACILE

SANS ÂGE

Nous approchons
Dans les forêts
Prenez la rue du matin
Montez les marches de la brume

Nous approchons
La terre en a le cœur crispé

Encore un jour à mettre au monde.

*

Le ciel s'élargira
Nous en avions assez
D'habiter dans les ruines du sommeil
Dans l'ombre basse du repos
De la fatigue de l'abandon

La terre reprendra la forme de nos corps vivants
Le vent nous subira
Le soleil et la nuit passeront dans nos yeux
Sans jamais les changer

Notre espace certain notre air pur est de taille
A combler le retard creusé par l'habitude
Nous aborderons tous une mémoire nouvelle
Nous parlerons ensemble un langage sensible.

*

O mes frères contraires gardant dans vos prunelles
La nuit infuse et son horreur
Où vous ai-je laissés
Avec vos lourdes mains dans l'huile paresseuse
De vos actes anciens
Avec si peu d'espoir que la mort a raison
O mes frères perdus
Moi je vais vers la vie j'ai l'apparence d'homme
Pour prouver que le monde est fait à ma mesure

Et je ne suis pas seul
Mille images de moi multiplient ma lumière
Mille regards pareils égalisent la chair
C'est l'oiseau c'est l'enfant c'est le roc c'est la plaine
Qui se mêlent à nous
L'or éclate de rire de se voir hors du gouffre
L'eau le feu se dénudent pour une seule saison
Il n'y a plus d'éclipse au front de l'univers.

*

Mains par nos mains reconnues
Lèvres à nos lèvres confondues
Les premières chaleurs florales
Alliées à la fraîcheur du sang
Le prisme respire avec nous
Aube abondante
Au sommet de chaque herbe reine
Au sommet des mousses à la pointe des neiges
Des vagues des sables bouleversés
Des enfances persistantes
Hors de toutes les cavernes
Hors de nous-mêmes.

COURS NATUREL

QUELQUES-UNS DES MOTS QUI, JUSQU'ICI, M'ÉTAIENT MYSTÉRIEUSEMENT INTERDITS

A André Breton

Le mot cimetière
Aux autres de rêver d'un cimetière ardent

Le mot maisonnette
On le trouve souvent
Dans les annonces des journaux dans les chansons
Il a des rides c'est un vieillard travesti
Il a un dé au doigt c'est un perroquet mûr

Pétrole
Connu par des exemples précieux
Aux mains des incendies

Neurasthénie un mot qui n'a pas honte
Une ombre de cassis entre deux yeux pareils

Le mot créole tout en liège sur du satin

Le mot baignoire qui est traîné
Par des chevaux parfaits plus laids que des béquilles

Sous la lampe ce soir charmille est un prénom
Et maîtrise un miroir où tout s'immobilise

Fileuse mot fondant hamac treille pillée

Olivier cheminée au tambour de lueurs
Le clavier des troupeaux s'assourdit dans la plaine

Forteresse malice vaine

Vénéneux rideau d'acajou

Guéridon grimace élastique

Cognée erreur jouée aux dés

Voyelle timbre immense
Sanglot d'étain rire de bonne terre

Le mot déclic viol lumineux
Éphémère azur dans les veines

Le mot bolide géranium à la fenêtre ouverte
Sur un cœur battant

Le mot carrure bloc d'ivoire
Pain pétrifié plumes mouillées

Le mot déjouer alcool flétri
Palier sans portes mort lyrique

Le mot garçon comme un îlot

Myrtille lave galon cigare
Léthargie bleuet cirque fusion
Combien reste-t-il de ces mots
Qui ne me menaient à rien
Mots merveilleux comme les autres
O mon empire d'homme
Mots que j'écris ici
Contre toute évidence
Avec le grand souci
De tout dire.

COURS NATUREL

'Le poète dessine la carte de l'envers du monde. Parfois il s'aventure, la tête en bas, sous les continents et disparaît.

'Je me suis spécialisé dans les îles désertes, que je retourne comme des gants.'

LE RENDEZ-VOUS

La rue noire semblait attendre
avec sa boue plate et collante avec son vent plein de chevelures
Dans un coin de porte il y avait une main posée sur le sol et
    lumineuse comme une feuille d'automne
mais vivante car les doigts battaient une mesure d'impatience
    peut-être avait-elle rendez-vous
Et toute la rue semblait attendre
et les pierres peu à peu se mirent à battre à tambouriner
    d'impatience
et bientôt la ville entière ne fut plus qu'une immense main
    battant le sol de la plaine comme une feuille d'automne
    prête à partir
L'archipel avait assez de doigts pour marcher
assez de huttes pour cacher l'amour
assez d'îles pour nourrir le ciel
mais les tombeaux passaient vite sans se retourner
honteux presque et couverts de fange
L'archipel alors à la main gantée de poivre prononça quelques
    paroles que le vent brisa éparpilla comme des roses
l'archipel alors leva la main c'était la ville

Et la rue déserte où je me promenais fut soudain parcourue
   d'un frisson
qui siffla doucement comme un appel et disparut

LES PAUPIÈRES DE VERRE

PORTRAIT

Tes yeux ce ne sont pas tes yeux mais la doublure de la nuit
tes mains ce ne sont pas tes mains mais une virgule à collerette
tes cuisses ce sont des hélices pour chasser le mal de dents
et tes dents justement c'est un arbre dont les racines tiennent
   dans leurs mains mes oreilles
ta chevelure pleut sur mes paupières quand il fait beau
tes pieds de suie fraîche descendent des cintres lorsque
   j'appelle un taxi
sur tes ongles poussent se développent et se multiplient des
   plaintes qui sont mes joues
avec tes rubans tu lies nos étreintes
et avec tes genoux c'est mon nez que tu nourris
tes lèvres ce ne sont pas tes lèvres mais un troupeau de bœufs
   sur les pâturages de mon sang

LES PAUPIÈRES DE VERRE

DRAPS DE FLAMMES

Ma mort de viol, de lèvres, de sucre
ma molle bête de nuit
ma sirène de velours faible et lourde
ma flûte de miel perverse accrocheuse de rires
ma triste au corsage d'alvéoles
ma future amoureuse et passée

ma fenêtre brisée sous les coups du soleil
ma flèche de marbre à perdre dans les bois
ma fille des larmes accoudée au balcon de plâtre
ma verte de sucre encore et de marteau pour casser
ma porte de verre
ma voiture de transports d'ombre
ma rugissante lionne de prâlines
femme de lait

LES PAUPIÈRES DE VERRE

J'AI JETÉ MON BRAS

J'ai jeté mon bras dans la nuit pour éteindre le feu
j'ai cloué une chaise sur la porte de la grange
pour faire peur aux tables
j'ai éternué dans un muscle plat
j'ai chargé un revolver
d'aller porter une balle au coureur cycliste qui tenait la tête
dans ses mains
Dans la pointe de la balle il y avait un coussin
et sur ce coussin était étendu un drapeau
rouge et vert
avec une doublure de fourrure
J'ai rougi une canne de fer pour brûler les yeux du bourreau
j'ai jeté mon bras dans la nuit pour éteindre le feu
Une journée a suffi
Un saule pleureur débordait de tendresse
et consolait un vase grec
dont les naïades séchaient au soleil d'avril
J'ai empli de vinaigre une cave où s'entassaient des réverbères
des lampes-pigeon des ampoules électriques
des bougies et des bijoux

des hiboux venus des bouges
et quelques hyènes
voleuses de lèvres
Une nuit a suffi
une nuit pâle comme le jour
avec des cernes sous les lumières
Sur le rivage des malles fondaient
Elles étaient pleines de griffes

LES PAUPIÈRES DE VERRE

'Car ce que le surréalisme m'a appris d'essentiel, dès l'âge de 18 ans, c'est que l'homme doit se transformer lui-même, et pour cela se considérer comme un champ d'expériences passionnées. C'est pourquoi, à mes yeux, le surréalisme, dans la mesure où il est vécu *jusqu'au bout*, se situe en dehors de toutes catégories existantes de la pensée. Et il n'est jamais plus vivant, parfois, qu'au moment où il disparaît dans la fulgurance d'un cri.'

On the poems of *L'Aube à l'Antipode*:

'Dans une lettre, à l'époque (1947-48), Breton me disait qu'ils se situaient "sur le plan de la révélation objective même," et qu'ils "contribuaient à rendre la *vraie vie* moins absente." Cet encouragement, comme vous pouvez l'imaginer, a eu un tel effet dans ma vie que j'ai pu longtemps, malgré une extrême misère, affronter la poésie sans trop désespérer d'elle.'

LA FOUDRE BROSSE LA TERRE AVEC MA BOUCHE

La foudre me recommence à tout instant
la foudre est ma haute couturière mentale

La foudre à mes pieds
Je jette ma nudité sur les planches comme un projecteur

L'AUBE A L'ANTIPODE

Qu'on allume un feu au pic le plus aigu et le plus
    élevé de la montagne;
Et si l'on m'empale, que ce soit à très haute altitude,
    sur le paratonnerre d'un observatoire!

La boussole est la femelle du paratonnerre

L'AUBE A L'ANTIPODE

Quand je dors
Ma lance se tient tout droite dans mon nombril
Comme le cordon ombilical sacré arme de défense

Je suis un T renversé sur le dos comme le Radeau de la Méduse
Et j'impose aux pêcheurs en eaux troubles l'horizon courbé de
    mon sommeil océanique

Je suis tombé du ciel comme une brosse dont les poils
    onduleraient sous le vent
Et vulnérable à l'épaule, comme tous les nuages

L'AUBE A L'ANTIPODE

L'aurore monte l'escalier du Night Hôtel et
Encore toute dépeignée
Elle met le couvert du jour sur les tables de nuit des voyageurs

L'aurore est la descente de lit des agneaux noirs
Et, peut-être aussi, un berger sur ses échasses dans la neige
    des yeux entr'ouverts

A l'aube
Je suis un aveugle explorateur du pôle
A qui ses pleurs viennent de rendre la vue
Comme au père de la foudre

L'AUBE A L'ANTIPODE

PREMIER ÉVEIL EN TA LUMIÈRE

Le lent rideau de l'attente *neige*

Goutte d'eau sur un pétale
Très lentement — mal —
La terre tente de lever son couvercle

Haut très haut se rapprochent les mâchoires de la douceur

Plus bas les vitres répercutent l'appel des couteaux
Mais l'air est ailleurs
L'air ouvert comme les bras du bateleur
L'air des trouées blanches clame son innocence

Conciliabules sur un lointain plat-bord
Conciliabules de petites cuillers dans un bol
Bol léger bol sonore autour de la tête du premier marcheur
Comme un heaume l'aube étincelle ébauche de bataille
Mais les balles sont de verre les fusils de cristal
L'aube jette son eau

Extrême lancier du vide
Seul dans le glacier facial
J'avance

J'arrache lentement la lenteur de mon cœur
Je me laisse vaguer au fond pâle de cette heure Je m'oublie
Et toi belle Amnésie
Sous l'œil vertical de la porte
Lynx des fissures ta bague aimante tous les feux

Le théâtre est dehors
La comédie des décors s'échafaude à coups de piolet dans le corps

Et j'hésite seul entre mes dents
J'hésite à traverser ce mur neigeux

Toi ma glissière
Je promène un rayon humide sous mes cils
J'explore un épaule j'explore ce sentier
J'avance petite crique ou salière
Et dans ta bouche dans ta mer dans tes lacs
Je m'enfonce je fends en toi l'épaisseur du matin
Je fore une aube en plein volcan liquide
    Je crie
   Aube décrucifiée

           A TOI

   la jupe montgolfière te gonfle

   bague pourpre jaillie d'un geste
   la scie mouille ta paume

   Dame à l'aile battante
    festoyée
   toute fleur dehors
   tes fesses d'infante flamboient dans le vent

   creuse tes ongles
   foreuse d'aigle et d'asphyxie
   jette tes genoux dans l'orage
   gong de gêne
   et gagne la paix de ta paresse en nage

        TIRE A L'ARC

E

'Derrière la cathédrale il y a un bordel, derrière Piet Mondrian il y a
Hieronymus Bosch et derrière chaque poème il y a l'Autre qui boit mon
sang et qui parle en mon nom. Je devrais dire les Autres, car si je suis
fier d'une chose c'est de n'avoir vécu deux fois la même hallucination,
jamais. Je ne crois pas dans la personnification (ni celle des idées, ni
celle des faits). Sans faire appel à la psychochimie, je crois pouvoir
affirmer que la poésie n'a jamais signifié pour moi autre chose qu'un
comportement révolutionnaire (une longueur d'onde particulière
plutôt qu'un langage). A—détruire l'État et sa machine. B—dissoudre
les conditionnements. C—se plonger, tout éveillé, dans le troisième
état de la conscience au delà du sujet et de l'objet, du connu et de
l'inconnu, de l'animé et de l'inanimé. Le danger de la poésie est celui
de toutes les activités imaginaires: elles sont imperceptibles de l'extérieur. Au fond, tout ce à quoi peut aspirer l'écriture poétique la plus
ambitieuse est d'obliger le lecteur à écrire lui-même des poèmes et, dans
les meilleurs des cas, à les vivre.'

(From a statement broadcast in Warsaw,
communicated by the author)

THIRD LETTER OF MY ALPHABET

He is more myself than I am

UNE FOIS L'HORIZON SURMONTÉ ET ENFOUI
Hespéride aux flancs creusés de glyphes
Tu visites Pretzel Park
piquée de joncs presque marécageuse
NOUS SOMMES SUR LE DOMAINE DES OIES
OUVERTE FORÊT SUR COUR DES MIRACLES CHARNELS
ta main palmée nous fraye le chemin des halages
l'eau s'affermit

SOUS NOS PIEDS L'HUMUS SURTOUT TRANSPARENT NE CACHE RIEN
SI A PLAT VENTRE NOUS COLLONS L'ŒIL A TERRE
NOUS VERRONS L'INCENDIE AMOUREUX DU GLOBE INTIME
    où Nicolas et Pernelle jouent leur dernière chance
PRISE DE SANG ET D'AMOUR
DE GIVRE AUSSI A LA PORTÉE DE TES LÈVRES
UNE NAISSANCE PRÉCIEUSE D'ÊTRES QUINTESSENCIÉS
DONT LA MOELLE N'A PAS ATTENDU L'AURORE POUR ÉCLATER
    entre nos bras J'INSISTE
SUR LA NÉCESSITÉ DE CONSOMMER CETTE CUILLERÉE D'INFINI
    entre les draps du dégel
A CHAUD COMME ON GREFFE OPHÉLIE AU RUISSEAU
SILHOUETTE TAILLÉE DANS L'EAU
    cette femme étreint un arbre, elle l'étrangle
    elle glisse le long de son tronc à travers les branches
SES PIEDS NE TOUCHENT LA TERRE PAS PLUS QUE SON CORPS NE
    S'EN DÉMÊLERA

SCHIZOPHRÈNE DISAIT-ON DE CET HOMME
QUI ÉTAIT UN ARBRE
JUSQU'AU JOUR OÙ IL PLONGEA SES DOIGTS DANS LE SOL
ET QU'ILS Y PRIRENT RACINE

                            in FRONT UNIQUE, no. 2, May 1956

LA CONJURATION DES ÉGO

            Pour toi à mes yeux
            VESTITA DI COLOR DI FIAMMA VIVA
            qui que tu sois

tu es mon emblème
mirage croissant où j'ai mis le feu noir

je subis l'intensité de ton absence
je respecte ta lâcheté
j'assume ton chagrin épuisant
mais par-dessus tout
   j'aime ton allure spacieuse ton air sépulcral

je t'aime dans les arbres
dans la nuit à venir
je t'aime sur le front sur le dos de la main
comme un œuf qui s'ouvre

Prince Kader l'aviateur c'est moi
le spéléologue des vents qui peut faire l'orage sur ta vie
je te porte à mon nom comme une passion vierge
pulpe d'amour
ton regard de séquestrée
tes hanches souples sous les chaînes
tes seins brûlants
tout te dérobe à toi-même

comme une image entrebâillée
comme une grande terrasse au-dessus du vide
tu resteras cachée
et je continuerai à faire le tour du monde dans tes bras
   ensevelis

in FRONT UNIQUE, no. 4, April 1957

'1° "Poetry is the record of the best and happiest moments of the happiest and best minds."   (Shelley)

'2° "La poésie personnelle a fait son temps de jongleries relatives et de contorsions contingentes. Reprenons le fil indestructible de la poésie impersonnelle."   (Lautréamont)

'Ma poésie tend vers un point dont ces deux propositions—tout subjectivisme étant écarté de la première, comme toute interprétation "humaniste" ou "engagée" de la deuxième—seraient les coordonnées.'

L'ABÎME EST A NOUS

Avec sa batterie de racines sa contrebasse de lianes
Son orchestre de feuilles prêtes à en repasser par toutes les
   nuances du bronze
Avec ses enseignes de grand air brusquement apparues
Sur une frontière barbelée d'hirondelles
L'orage ne campe jamais loin de moi

Quels sont ces encriers de venin ces bonbonnières de givre
   qui coulent dans la pénombre
Sitôt franchi le plâtre de la puberté
Quelles sont ces vitres trop larges où le soleil et la lune se
   succèdent
Comme la rouge et la blanche au billard truqué des prairies
Des stores de mimosa frivolent sur la Seine
La musique est si douce que personne ne l'écoute plus
Mais quels rires cessèrent à mon approche quels chuchote-
   ments
Parliez-vous de la mort lorsque je suis entré

Vous parliez à l'oreille de cueillir chaque cerise après l'autre
Vous parliez d'un poids de lumière pris pour un poids de
chaînes
Comme s'il était possible d'avancer les bras vides
Je vous ferai souvenir que j'étais parti à la découverte simple-
ment
D'une route
Où le langage qui unit tous les êtres ne m'aura été révélé que
pour m'aider à vous arracher
Assise au centre de la grande vacance
La très jeune femme de mes rêves de ma vie
Aux larmes plus pures que le passage de l'aube sur votre
tennis de plomb
Au sourire plus éclatant qu'un ciel de flamme hissant tout son
pavois
Sur l'immensité des crosses aux spores de diamant de la mer
Mon ciel de flamme toi qui te peins de l'envol des cygnes
d'Australie au-dessus de leur immortalité d'or
Toi qui sans fin ramènes à l'horizon de ma jeunesse
Les ombres fraternelles de la musaraigne étrusque
Et de cette chatte blanche qui jouait dans la luzerne pour
saluer les baladins
Mon ciel de flamme toi qui m'attends très loin vers l'embou-
chure pleine de miel et de rumeur des fleuves inconnus
Au delà des monts de la Lune
A ce promontoire de la Nuit
Où ne se dressent que les colosses des archanges rebelles
Mon ciel de flamme mon ciel de flamme
Demain le Sagittaire aux lèvres d'aigremore
Dispersera dans son galop la buanderie de la pensée
Où sèchent les nappes de systèmes illisibles les textes en
chicane rendus plus pâles par la lessive
Toi qui roules pastèques et pamplemousses dans les plis du
dernier drapeau-pirate
Mon ciel de flamme apprends-moi bien que je n'aurai mieux
qu'aujourd'hui alors

Rien à gagner rien à perdre
Tout à saisir avec douceur
Comme l'orage naissant au secret du plérôme
Il n'est plus de remède au rêve dès qu'il en parle
Il n'est plus de remède à la vie que la vie
L'orage n'est jamais terminé
La première venue sera unique demain

Michel Leiris

'En disséquant les mots que nous aimons, sans nous soucier de suivre ni l'étymologie, ni la signification admise, nous découvrons leurs vertus les plus cachées et les ramifications secrètes qui se propagent à travers tout le langage, canalisées par les associations de sons, de formes et d'idées. Alors le langage se transforme en oracle et nous avons là (si ténu soit-il) un fil pour nous guider dans la Babel de notre esprit.

'—Oui, voici le seul usage auquel puisse servir désormais le langage, un moyen de folie, d'élimination de la pensée, de rupture, le dédale des déraisons, et non pas un DICTIONNAIRE où tels cuistres des environs de la Seine canalisent leurs rétrécissements spirituels.'

Antonin Artaud, 'Glossaire: j'y serre mes gloses',
in *La Révolution surréaliste*, no. 3

Au cours de ma vie blanche et moire, la marée du sommeil obéit au mouvement des planètes, comme le cycle des menstrues et les migrations périodiques des oiseaux. Derrière les cadres, une rame délicieuse va s'élever encore: au monde aéré du jour se substitue la nuit liquide, les plumes se changent en écailles et le poisson doré monte des abîmes pour prendre la place de l'oiseau, couché dans son nid de feuilles et de membres d'insectes. Des galets couverts de mots—mots eux-mêmes bousculés, délavés et polis—s'incrustent dans le sable parmi les rameaux et coquilles d'algues, lorsque toute vie terrestre se rétracte et se cache dans son domicile obscur: les orifices des minéraux.

Zénith, Porphyre, Péage,
sont les trois vocables que je lis le plus souvent.

Ils ne m'apparurent d'abord que partiellement, le Z en zébrure ou zig-zag de conflit, fuite oblique vers les incidences puis persévérance dans une voie parallèle,—l'Y de l'outre-terre (Ailleurs, qu'Y a-t-il? Y serons nous sibYlles? Qu'Y pourrai-je faire si je n'ai plus mes Yeux?)—l'A écartant de plus en plus son angle rapace sous-tendu par un horizon fictif, tandis que P Poussait la Porte des Passions.

Puis les trois mots se formèrent et je pus les faire sauter dans mes mains avec d'autres mots que je possédais déjà, lisant au passage la phrase qu'ils composèrent:

Payes-tu, ô Zénith, le péage du porphyre?

A quoi je répondis, lançant mes cailloux en ricochets:

Le porphyre du Zénith n'est pas notre Péage.

'Rêves' in HAUT MAL

C

Cadence—cartilège du silence
Cerveau—cercueil de verre, sans renouveau
Créature—gréements de la nature
Crime—une mine de cris
Croupe—coupe de saveurs, pourriture pour le crâne

E

Échine—échelle de signes, plus douce qu'un col de cygne
Emmerdant—le mal de mer et le mal de dents
Épaules—pôles des ailes disparus

J

Jambes—hampe des jeux cambrés par l'ambre
Jarrets—jarre des bonds en arret
Jaune—aube du jeûne, de l'argile et des images

P

Parabole—parcours instables des paroles
Passion—je passe, et je subis désirs, et déraison
Paupière—sa peau protège la pierre de l'œil
Porphyre—porche du délire, fissure, pierre de l'amphore
Poussière—elle pousse entre les serres de la lumière
Putréfaction—trêve, fraction, préparant la pureté.

'Glossaire: j'y serre mes gloses' in
LA RÉVOLUTION SURRÉALISTE, no. 4

'Le poème est le reflet du devenir humain dans le miroir du langage; il est l'histoire sans chronologie, le lieu où l'avenir délivre le passé, le système respiratoire de la pensée.'

'Comme le Juste d'hier, il peut, en toute vérité, s'écrier: "Je suis pur". Il a eu le courage de dire oui à l'amour, de couper le lien qui le retenait à un monde mort, et ses yeux se sont ouverts sur la beauté du monde. Il a accepté, au plus profond de son cœur, l'amour vrai qui nous réduit en cendres et qui renaît de nos cendres. Aussi chacune de ses paroles est une parole d'amour, parfaitement belle et humaine. Elle a la simplicité du soleil.'   André Liberati, in *Médium*, no. 7

LE VEILLEUR

Le vent n'a pas assez traversé de pays
Essoufflé d'oiseaux émondé de branches
La vague n'a pas assez roulé
Il manque un grain de sable au désert
Il manque un tour de plus à la terre
Un peu de poids dans le nuage
Encore une ravine au visage
Encore une lettre à l'alphabet

A minuit
Dans les rues désertes si le fantôme mendiant de la neige vient
    à passer
Ne ferme pas ta porte. Même de lui l'espérance va renaître.
Les rennes dessinés sur les rochers se rassembleront
Et viendront rafraîchir une soif de pierre sur les vitres
Les fleurs du givre donneront enfin des graines.

PRÉFACE A L'AMOUR

AU BOIS NOIR

Tu feras ce que tu voudras
La feuille dans la forêt m'appelle
La femme que j'aime m'appelle
Si semblable à la feuille des bois
Si semblable à la fumée des bois
A toutes les femmes et toujours à toi
Combien faudra-t-il parcourir de villes
A combien de maisons ou de saisons sonner
La feuille n'a pas de voix elle les a toutes
Tu feras comme tu l'entendras
Le bois de mon lit ouvre ses fougères
Quand je te serre dans mes bras.

PRÉFACE A L'AMOUR

ICI

Ici nous avons saigné
Les arbres s'en souviennent
Chante la gorge ouverte de l'été
Dans le moule creusé au temps de cette étreinte
Où j'ai froissé le lit de feuilles que tu es.

PRÉFACE A L'AMOUR

LA PROFONDE RIVIÈRE

La nuit profonde on la dort bien à deux. Elle est humaine.
  Ici, c'est ta chaleur. Ici, mon sang. Confondons-les. Pas une
  porte ouverte où l'amour passe. Ici commence le pays de
  l'amour,
L'amour qu ne gémit pas,

L'amour qui ne se plaint pas,
L'amour qui n'aime pas, mais lutte.

C'est le déluge. Où commence et finit la nuit. Tu es la bouche de ma bouche. C'est le temps suspendu. J'ai mille siècles douloureux. Je te tiens, je ne te tiens pas. Ça ne durera pas toujours.

C'est le désespoir dépassé comme une ville en cendre.

Je dis. Et c'est un beau navire que le corps qui t'apporte. Il a fait route de l'autre côté du monde.

Ne me demande rien, les mots flambent tout seuls.

Mon sang garde son aventure. Il ne m'appartient plus.

Le temps revient par le détour de l'absence.

Toutes les rues ont des lèvres qui saignent des bruits de couleur.

Toutes les vies se mettent à couler dans le sens de la terre.

A l'écartèlement de l'aube, nous accueille le couple que nous n'avons pas rêvé.

PRÉFACE A L'AMOUR

Si l'amour n'est pas là, la ville sera investie.

Si tu ne te tiens pas à mes côtés, en vain je veillerai.

Si tu ne prends pas charge de moi, je serai comme le passant attardé, saisi par la terreur.

Il se retourne, il tressaille.

Si l'amour ne se tient pas à l'entrée du jardin, le maraudeur à pas nocturnes viendra voler ce qu'il désire.

En vain je parlerai, témoignerai.

Il est parti, le ravisseur.

Il rit et il rira.

Mais ce sont les yeux fermés que je me défends.

Je ne me défends pas.

Abandonné, c'est ma confiance,

Car l'amour n'est pas armé.

J'ai les mains ouvertes. Il a visé au cœur
Et la flèche frissonne toujours.
Le tremblement fait vivre. Je bats comme la branche à
    l'entrée de la lucarne.
Je suis vaincu et j'ai gagné. La mer morte se soulève et
    reprend vie
Car c'est en toi que je suis soumis, en toi que j'obéis.
Me voudrais-tu du mal?

VESPER

Une chaise se tait.
Le silence est de pierre,
S'assied.

La carafe retient
Une vague.

Le fruit serre sa chair
Et sent l'arbre vivant
Dans sa mâchoire.

Quand le vent est passé nul n'a crié.
La porte s'ouvrait sur une étable chaude.
A minuit bien passé
Ce sont secrets
Des bêtes et de l'ange.

Soudain
Peut-être la mort
Ou l'aveu.

VESPER

Joyce Mansour

'Dépouillés de tout artifice, les poèmes d'une inconnue de vingt-cinq ans, Joyce Mansour, publiés... sous le titre de *Cris*, rappellent la sauvage grandeur des rares hymnes à Séléné parvenus jusqu'à nous, invocations magiques qu'adressaient à la "tueuse de faons", à la sanglante divinité nocturne, les Bacchantes, ennemies d'Orphée. Rien ici qui ne jaillisse des profondeurs les plus obscures de l'être, où l'amour et la mort, l'angoisse et le désir, le plaisir et la souffrance fusionnent en une seule réalité dévorante, qui se dévore elle-même à travers l'objet de sa convoitise.'   Jean-Louis Bédouin, in *Médium*, Nouv. Série, no. 3

'Il y a pourtant dans l'amour, dans tout l'amour, qu'il soit cette furie physique, ou ce spectre, ou ce génie de diamant qui me murmure un nom pareil à la fraîcheur, il y a pourtant dans l'amour un principe hors la loi, un sens irrépressible du délit, le mépris de l'interdiction et le goût du saccage.'   Aragon, *Le Paysan de Paris*

                              'A J.M.

              Amie ô Joyce Mansour
              La poésie est la mourre
              Crions donc comme des sourds.'
          André Pieyre de Mandiargues, *Cartolines et Dédicaces*

              Dans le velours rouge de ton ventre
              Dans le noir de tes cris secrets
              J'ai pénétré
              Et la terre se balance en tournant en chantant
              La terre rouge de tes viscères mordues par le poison
              Le sang d'un démon fleuve aveugle de tes nuits
              Ronge tes mollesses la brûlure de tes moqueries
              Dans le satin rouge de ta mort

                              124

Dans le sombre couloir de tes yeux
J'ai pénétré
Et la terre se balance en tournant en chantant
Et ma tête se dévisse de joie

CRIS

LA CUIRASSE

Quand la guerre pleuvra sur la houle et sur les plages
J'irai à sa rencontre armée de mon visage
Coiffée d'un lourd sanglot
Je m'étendrai à plat ventre
Sur l'aile d'un bombardier
Et j'attendrai
Quand le ciment brûlera sur les trottoirs
Je suivrai l'itinéraire des bombes parmi les grimaces de la foule
Je me collerai aux décombres
Comme une touffe de poils sur un nu
Mon œil escortera les contours allongés de la désolation
Des morts brasillants de soleil et de sang
Se tairont à mes côtés
Des infirmières gantées de peau
Pataugeront dans le doux liquide de la vie humaine
Et les moribonds flamberont
Comme des châteaux de paille
Les colonnades s'enliseront
Les astres bêleront
Même les pantalons de flanelle s'engloutiront
Dans l'espace géant de la peur

RAPACES

PERICOLOSO SPORGHESI

Nue
Je flotte entre les épaves aux moustaches d'acier
Rouillées de rêves interrompus
Par le doux hululement de la mer
Nue
Je poursuis les vagues de lumière
Qui courent sur le sable parsemé de crânes blancs
Muette je plane sur l'abîme
La gelée lourde qu'est la mer
Pèse sur mon corps
Des monstres légendaires aux bouches de pianos
Se prélassent dans les gouffres à l'ombre
Nue je dors

RAPACES

Tes mains fourrageaient dans mon sein entr'ouvert
Bouclant des boucles blondes
Pinçant des mamelons
Faisant grincer mes veines
Coagulant mon sang
Ta langue était grosse de haine dans ma bouche
Ta main a marqué ma joue de plaisir
Tes dents griffonnaient des jurons sur mon dos
La moelle de mes os s'égouttait entre mes jambes
Et l'auto courait sur la route orgueilleuse
Écrasant ma famille au passage

RAPACES

LE PRIE-DIEU

Un pigeon assis sur un sein en acajou
Méditait
Son bec effacé par un vent maléfique
Ses ailes pendues autour de son cou
Il méditait
Le sein se réveilla et mangea l'oiseau pensif
Malgré la puissance du regard du pigeon
Bien que le sein n'eût pas très faim
Malgré la méditation
Du pigeon

RAPACES

Noyée au fond d'un rêve ennuyeux
J'effeuillais l'homme
L'homme cet artichaut drapé d'huile noire
Que je lèche et poignarde avec ma langue bien polie
L'homme que je tue l'homme que je nie
Cet inconnu qui est mon frère
Et qui m'offre l'autre joue
Quand je crève son œil d'agneau larmoyant
Cet homme qui pour la communauté est mort assassiné
Hier avant-hier et avant ça et encore
Dans ses pauvres pantalons pendants de surhomme

RAPACES

'Je donne un nom
A de très petites choses
Qui le portent comme une queue de mariée
Je joue aussi avec.'

'C'est une main posée sur la
montagne', *Ma Tête à Couper*

J'aime une femme plus belle qu'un débarcadère
plus douce que les transports en commun
plus intelligente que le grisou
plus présente que le tour du monde
plus ingénieuse que la plume dans le tube de Newton
plus spirituelle que la marée
plus sage que la hâte des suicides
plus nue que la mousse
plus discrète que l'écorce du tonnerre
plus silencieuse que Paris
plus gaie qu'un grain de sel
plus légère qu'un couteau
plus calme qu'une ruche
plus sensible qu'un précipice
plus aventureuse que les pierres
plus claire que le sang
plus blonde qu'un cadran
plus brune que la pluie d'été
plus voluptueuse qu'une aiguille
plus fière qu'un plafond
plus délicate que le granit
plus élégante que les lichens
plus fidèle que le vert de gris

plus secrète que l'heure présente
plus vibrante que le sperme
plus transparente qu'un geste accompli en rêve
plus cruelle que la rosée
plus inventive que les nombres premiers
plus arborescente qu'un œuf
plus étrange de que le signe +
plus passionnée que les ornières
une femme pareille à une femme

MA TÊTE A COUPER

RESPIRER

Du flacon de brindilles au vocabulaire de plâtre bègue mal
essoré
Dans la rue de saumure à façades de tessons de mariées
Un cortège pédagogique de larves baveuses à tête de dodé-
cagone curviligne légèrement irrégulier
Rince des cordes de violoncelles en boyau de prêtre
Sous un piédestal américain grand modèle en râpure galvanisée
Accompagné du buste tricolore et décoré de l'inventeur du
saule lacrymal
J'enroule un réseau soyeux de dentelle rouge de la base au
sommet
D'une cheminée d'usine de quatre-vingt-douze mètres de haut
Et je couronne l'édifice d'une orange naturellement
Produite à la taille voulue par mon ami l'horticulteur
Des vaisseaux trilobés
Mes sauriens
Sobres comme la rupture d'un viaduc sous le train prési-
dentiel
Simples comme l'effet produit sur une jeune fille récemment
sortie de l'enfance
Par la vue d'une horloge dévorant un câble électrique

Beaux comme l'écume de la mer quand je me rêve phare
Forts comme le pied en cap mes sauriens bercent les numéros
    pairs des rues des faubourgs
Déracinent les monuments municipaux et avant de livrer
Les places à la masturbation des cyclones transforment les
    statues
En menhirs lumineux vers le haut
Les arbres en fontaines les fontaines en ténèbres
Les becs de gaz en trapèzes volants
A leur appel les tuiles imitant les végétaux fossiles passent en
    riant des toits au service de l'aube
Le hérisson des murailles calcule à cire perdue
Le temps que mettra son ami le fil d'archal à déchiffrer le
    miroir des squelettes
Les chats au nez de phosphore purgent la ville de l'odeur
    laissée
Derrière eux par les uniformes terrés dans les égouts
Qu'on va murer au soufre bleu incandescent
Je dévide des noyaux d'escaliers en fusion
Les paquets de cigarettes éclatent comme des grenades mûries
    par persuasion
Les bonbons se coagulent dans leurs bocaux
Les sauterelles cisaillent le pédoncule des privations
Les femmes sortent plus légèrement vêtues que l'artère
    fémorale
Les hommes dignes de ce nom ont les pieds nus

MA TÊTE A COUPER

HABITANTE DE SA ROBE

Le désir et l'amour sont les ailes de la plus soudaine aubergine
Une invisible main
Fuira de vous de tant d'objets funèbres au lit mousseux

Dormez dormez plutôt dormez
Quarante ans par la voix comme un fleuve éloigné
Flot à flot le long fleuve une invisible main
L'œil brillant comme un peuplier vert qui fuit à tire d'aile
L'arc aux rameaux touffus
Viendra l'incendie replié sur son cœur et sa proie
Insectes endormis sur les jarrets de chaudes draperies sous des
    liens
D'écorce et le sang d'un cheval autrefois peuplé de sénateurs
Et de quel œil
Je me cache à vos yeux exclus du sang
J'ai cent fois réduit en cendres les parfums
Sacrés linceuls toits de nos pères
Une invisible main germe chaque an d'avance au revers du
    couteau
Pour s'élever présage de lumière et de sueur
Habitante de sa robe aux flots fauves tueurs
Et leurs soixante voix écoutez-les dans des prisons de pierres
    derrière le nuage
Je n'ai pas arraché
Mes mains
D'étoiles et je n'ai rien laissé s'abriter
La main
Si son ombre règne encore
L'oreille qui par droit de conquête flotte au milieu d'elle
Il faut la recevoir les cheveux noués
Sur la mousse agitant nageoires et queues à pleins paniers
Une invisible main aux cheveux blancs
Tomba dans l'œil contemplatif
(Et plus loin le fantôme dans le tronc s'use) et le regard
Rentra dans ton grand lit
O ma main familière
Ici foula mon corps étincelle aux lambris d'herbe molle

MA TÊTE A COUPER

mages cent fois perdues
mage toujours présente et
mage cent fois confondue
mages savamment machinées
mmobile et aveugle j'attends votre
nvasion dans mon désert
mmense.

Alphabet sourd aveugle

Je ferme les yeux
Je te vois
J'ouvre les yeux
Je te vois encore

Je voudrais te serrer dans mes bras

Tu es mince comme une idée
Tu es svelte comme une folle
Ton nombril révèle d'un clin d'œil
La gymnastique précise de tes jours
Et tu ressembles pourtant étrangement
A tout le monde
Mais ma révolte en toi
Ma révolte en moi
Ma révolte désespérée
Ne parviendra jamais
A te plier à mon vertige.

FEMME COMPLÈTE

Pour la mort du geste fin
Ta chevelure d'étoupe
S'est consumée la nuit
En des mains électriques

Mains lourdes au loin
Confiantes au gant de crin
Pour toucher le cristal

Encore trois coups
Aux passions traditionnelles
Aux rives brèves

Voici le petit jour du grand oiseau
Voici l'aube de l'amour infini.

FEMME COMPLÈTE

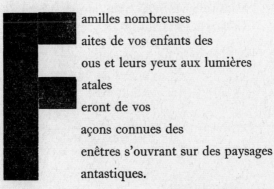 amilles nombreuses

aites de vos enfants des

ous et leurs yeux aux lumières

atales

eront de vos

açons connues des

enêtres s'ouvrant sur des paysages

antastiques.

ALPHABET SOURD AVEUGLE

PROCLAMATION

C'en est fait, Messieurs!

Déjà les mannequins de cire envahissent les bibliothèques
Les femmes marchent comme des drapeaux mouillés
Les fous distribuent l'image de leur esprit
Aux portes des églises désaffectées

Rire
Je vous défends de rire ou de grincer des dents
Je vous défends de vendre vos chansons d'amour

Semez vos oripeaux
Mangez des fleurs et des fusées
Mêlez vos aliments à ceux des animaux
Et donnez-leur le tout et le reste de cœur

Ne conduisez plus vos enfants à l'école
Apprenez-leur l'usage SECRET
De la parole

Nous avons déjà renversé les tables de multiplication
Nous ne rentrerons plus à la maison du crime
Nous sommes infatigables jusque dans le sommeil
Tenez-le vous pour dit

Aujourd'hui c'est
Autour du monde
Au
TOUR
du
MONDE.

LA MISÈRE HUMAINE

LE MARI ARIDE

Ma statue adorée

Le sol si dur à l'ordinaire
Et l'aile suspendue à un cri
Miraculeusement font place
A un sol mou
A une chanson fade et perpétuelle

Je t'ai tellement aimée
Que mon tailleur lui-même
Ne me reconnaît plus

Je t'ai tellement voulue
Que le lampiste ne passe plus
Par notre maison
Je t'ai construite sauvagement
Et sans arrière-pensée

Maintenant que le cadran
Marque toutes les heures une heure de moins
Que d'avantage en avantage
L'on perd à qui mieux mieux
Je suis pour toi pour tous
Le sac au dos
Le maréchal sans honte
Le colibri sans amertume
Le triangle ne trouvant pas où se placer
Le brute inavouée
Le moralisateur sans gloire

Et crois
Ma chère statue de gomme
A l'affection sans rives
De ton époux définitif
Ton vrai mari aride.   LA MISÈRE HUMAINE

LA CONDITION DE L'HOMME
DÉPEND DE LA FAÇON DONT IL ALLUME
SA LOUPE

Vous qui luttez
Vous qui luttez la tartine à la main
Vous qui bataillez le toast au caviar brandi menaçant
Vous qui hurlez demi doublé demi fendu demi et turlutu
Arrêtez-vous

Il n'y a pas de lutte
Il n'y a pas de camps rivaux
Il n'y a que toi et toi et toi
   et moi
   dans le jardin de pois
   et toi et moi
   sur le chemin où s'impriment nos pas
   jusqu'à la prochaine pluie

Il n'y a que choux et dentelles
Il n'y a que vinaigrette de veau
Il n'y a que têtes de pavés
   pour les enfants des petits pavots
Il y a bon et mauvais pot
Il n'y a ni faucille ni marteau
Il y a enclume et fer chaud

Messieurs
Il n'y a pas de lard
Pour celui qui mange à merveille

Mesdames
Il n'y a pas d'art
Pour le mervieillard.

MOTS RARES POUR SALONS LOUCHES

Benjamin Péret

'La poésie est la source et le couronnement de toute pensée.'

'Le merveilleux, cœur et système nerveux de toute poésie...'
'Le Pensée est Une et Indivisible' in VVV, no. 4

'Partant des aspirations primordiales les plus puissantes de l'individu, l'amour sublime offre une voie de transmutation aboutissant à l'accord de la chair et de l'esprit, tendant à les fondre en une unité supérieure où l'une ne puisse plus être distinguée de l'autre. Le désir se voit chargé d'opérer cette fusion qui est sa justification dernière.'
Anthologie de l'Amour sublime

'Une des principales propriétés de la poésie est d'inspirer aux cafards une grimace qui les démasque et qui permet de les juger. Péret favorise comme nulle autre cette réaction aussi fatale qu'utile. Car elle est douée de ce accent majeur, éternel et moderne qui détone et fait le vide dans un monde de nécessités prudemment ordonnées et de rengaines murmurantes. Car elle tend...à la compréhension parfaite de l'inhabituel et à son utilisation contre les ravages de l'exploitation maligne de la bêtise d'un *certain* bon sens. Car elle milite insolemment pour un nouveau *régime*, celui de la logique liée à la vie non comme une ombre mais comme un astre.'
Éluard, Prière d'insérer for De Derrière les Fagots

Nue nue comme ma maîtresse
la lumière descend le long de mes os
et les scies du temps grincent leur chanson de charbon
car le charbon chante aujourd'hui
le charbon chante comme un liquide d'amour
un liquide aux mouvements de volume
un liquide de désespoir

137

Ah que le charbon est beau sur les routes tournesol
tournesol et carré
si je t'aime c'est que le sol est carré
et le temps aussi
et cependant je ne ferai jamais le tour du temps
car le temps tourne comme à la roulette
la boule qui regarde
dans la mosaïque des forêts

Cerveaux et miroirs roulez
Car le charbon a la tête d'un dieu
et les dieux ô cerises les dieux aujourd'hui plantent des
    épingles
dans le cou des zouaves
et les zouaves n'ont plus de moustaches
parce qu'elles accompagnent les jets d'eau
dans la course de l'avoine
l'avoine cirée lancée le long des vents à la poursuite des marées
Marées de mes erreurs où mîtes-vous nos vents
car vos vents sont aussi des marées
ô mon amie
vous qui êtes ma marée mon flux et mon reflux
vous qui descendez et montez comme le dégel
vous qui n'avez de sortie que dans la chute des feuilles
et ne songez point à vous échapper
car s'échapper c'est bon pour une flèche
et les flèches qui s'échappent ont frôlé tous les soupirs
mais vous qui êtes dans l'eau comme un remous
belle comme un trou dans une vitre
belle comme la rencontre imprévue d'une cataracte et d'une
    bouteille

La cataracte vous regarde belle de bouteille
la cataracte gronde parce que vous êtes belle
bouteille
parce que vous lui souriez et qu'elle regrette d'être cataracte

parce que le ciel est vêtu pauvrement
à cause de vous dont la nudité reflète des miroirs
vous dont le regard tue les vents malades
Mon amie ma fièvre et mes veines
je vous attends dans le cercle le plus caché des pierres
et malgré la lance du dramatique navire
vous serez près de moi qui ne suis qu'un point noir
Et je vous attends avec le sel des spectres
dans les reflets des eaux volages
dans les malheurs des acacias
dans le silence des fentes
précieuses entre toutes parce qu'elles vous ont souri
comme sourient les nuages aux miracles
comme sourient les liquides aux enfants
comme sourient les traits aux points

DORMIR DORMIR DANS LES PIERRES

ALLO

Mon avion en flammes mon château inondé de vin du Rhin
mon ghetto d'iris noirs mon oreille de cristal
mon rocher dévalant la falaise pour écraser le garde champêtre
mon escargot d'opale mon moustique d'air
mon édredon de paradisiers ma chevelure d'écume noire
mon tombeau éclaté ma pluie de sauterelles rouges
mon île volante mon raisin de turquoise
ma collision d'autos folles et prudentes ma plate-bande
    sauvage
mon pistil de pissenlit projeté dans mon œil
mon oignon de tulipe dans le cerveau
ma gazelle égarée dans un cinéma des boulevards
ma cassette de soleil mon fruit de volcan
mon rire d'étang caché où vont se noyer les prophètes distraits

mon inondation de cassis mon papillon de morille
ma cascade bleue comme une lame de fond qui fait le printemps
mon revolver de corail dont la bouche m'attire comme l'œil
   d'un puits
scintillant
glacé comme le miroir où tu contemples la fuite des oiseaux-
   mouches de ton regard
perdu dans une exposition de blanc encadrée de momies
je t'aime

JE SUBLIME

CLIN D'ŒIL

Des vols de perroquets traversent ma tête quand je te vois de
   profil
et le ciel de graisse se strie d'éclairs bleus
qui tracent ton nom dans tous les sens
Rosa coiffée d'une tribu nègre étagée sur un escalier
où les seins aigus des femmes regardent par les yeux des
   hommes
Aujourd'hui je regarde par tes cheveux
Rosa d'opale du matin
et je m'éveille par tes yeux
Rosa d'armure
et je pense par tes seins d'explosion
Rosa d'étang verdi par les grenouilles
et je dors dans ton nombril de mer Caspienne
Rosa d'églantine pendant la grève générale
et je m'égare entre tes épaules de voie lactée fécondée par des
   comètes
Rosa de jasmin dans la nuit de lessive
Rosa de maison hantée

Rosa de forêt noire inondée de timbres-poste bleus et verts
Rosa de cerf-volant au-dessus d'un terrain vague où se battent
   des enfants
Rosa de fumée de cigare
Rosa d'écume de mer faite cristal
Rosa

JE SUBLIME

ATTENDRE

Meurtri par les grandes plaques de temps
l'homme s'avance comme les veines du marbre qui veulent se
   ménager des yeux
dans un torrent où les truites à tête de ventilateur
traînent de lourds chariots de mousse de champagne
qui noircissent tes cheveux de château-fort
où la pariétaire n'ose pas s'aventurer
de crainte d'être dévorée
au delà de la grande plaine glaciaire où les dinosaures couvent
   encore
leurs œufs d'où ne sortiront pas de tulipes d'hématite
mais des caravanes de hérissons au ventre bleu
de crainte d'être avalées par la fontaine d'éclairs de mer
engendrée par ton regard où volent d'impalpables papillons de
   nuit
vêtus de gares fermées dont je cherche la clé de signal ouvert
sans rien trouver
sinon des fers à cheval gelés
qui bondissent comme un parapluie dans une oreille
et des canards d'orties fraîches
graves comme des huîtres

JE SUBLIME

ÉGARÉ

Qu'une mésange turquoise batte de l'aile dans la crème
et les pousses de la vigne s'envoleront comme des fausses
    barbes
chassées par des pavés égarés dans des lunettes
qui ne sont pas les miennes
pas plus que la blancheur d'un bras ne noircit une chevelure
tombant sur des yeux si clairs
qu'on y voit
gelées comme un os tombé du ciel
de longues plantes molles et fragiles comme un torrent de
    larmes
bataviques brisées
une à une
comme une automobile de luxe qui a heurté un âne
braillant comme un tonneau de mica
comme une asperge qui sort de terre
et demande s'il est l'heure de dormir
L'heure de dormir est passée
asperge
comme passent les œufs dans les tirs forains
comme je passe en crachant sur la légion d'honneur
que je rêve d'agrandir jusqu'aux omoplates
afin d'y loger un rat
affamé comme une mitrailleuse tirant sur les flics
L'heure de dormir est passée comme une mésange turquoise
qui se cache dans une armoire
sans arriver à faire croire qu'elle est pleine de linge
Pour dormir et s'éveiller comme une rivière qui saute à pieds
    joints
dans le tutu de sa chute
il faudrait que la mésange turquoise
sorte de son armoire comme un arc-en-ciel sur un canapé
et me crie
Coucou me voilà

                                      JE SUBLIME

A SUIVRE

Rien à dire de la jonquille qui me sourit comme une gousse
  d'ail
Rien à dire de la jonquille à tête d'écureuil
qui ronge lentement le réveil-matin affolé sonnant à perdre
  haleine dans la prison de mes côtes
c'est une fleur comme une pierre est un jouet
mais le saucisson habité par des millions d'anguilles
poilues comme un fromage moisi
qui remontent la Loire quand les mouches sortent du saucisson

Rien à dire de la jonquille à tête d'écureuil
sinon que je l'aime
comme le serpent de mer aime l'heure de la sieste
qu'il ne connaîtra jamais

les tulipes plus méchantes qu'un foie pourri

tu es ma sœur larme des oreilles vertes

Elle sera toujours pour moi la première mousse de l'année
celle qui auréole le soleil plus brûlant qu'un hanneton
comme un diamant brut
dont la gangue déjà répand l'odeur des aubépines avant la
  chute des ailes
projetées comme un coup de poing dans une gueule de vache
comme un moustique dans le cachot de mon crâne

UN POINT C'EST TOUT

TOUT A L'HEURE

Par la faille qui s'est ouverte par le dernier tremblement de
  terre

F

s'échappent des oiseaux en forme de pipe
les chats bondissant parce que leur queue s'envole
et de grands jets de champagne
qui mousse tellement que les bulles obscurcissent le soleil
le verdissent comme un vieil entrecôte
le bleuissent comme une vigne au printemps
où s'ouvrirait
démultiplié
le coq de bruyère des yeux
qui me regardent comme un drapeau rouge une barricade

Je vais comme le torrent au lampion
comme la balle à la poitrine fasciste
Mais quand les deux yeux ajoutés au regard des seins appellent
comme une jonquille entre des casseroles piétinées
la boule rouge du billard
la lanterne rouge de la rue barrée du baiser
prête à s'éteindre pour me laisser passer
dis-moi écureuil des premiers bruits de la rue
quel cri de cigare rongé par les rats
quel cerveau de bruyère en feu battra l'air en éventail
et quelle voix de chêne-liège devenu bouchon
osera parler comme une équation

UN POINT C'EST TOUT

André Pieyre de Mandiargues

'Le panorama dressé par les sens dans la conscience de l'homme est un écran peu solide; percé à chaque instant de trous, secoué par des tourbillons, il n'aveugle que ceux qui cherchent précisément à ne rien voir au delà de son médiocre ready-made... De cet envahissement de la réalité par le merveilleux surgit un pays très vaste, où le témoin, assez habile pour observer sans faire fuir par trop d'attention les éléments fantasmatiques, pourra se promener avec fruit: il y verra comment naissent avec les œuvres d'art les objets singuliers, et les monstres autour de lui s'incarneront des soupirs que l'homme, aux minutes orageuses de son existence, laisse descendre comme des bulles velues vers le peuple tiède et muet des animaux.'   Preface to *Le Musée noir*

'André Pieyre de Mandiargues, poète du diamant dissimulé dans l'épaisseur de l'être, aiguise sur les mots la lame incandescente du *mal*. Depuis Baudelaire, en effet, jamais un poète français n'avait osé identifier si clairement les réalités de la vie avec les perversions de l'imaginaire. Georges Bataille fut peut-être le seul, dans l'univers des concepts, à tenter de réconcilier ces extrêmes dans une impossible extase. Mais André Pieyre de Mandiargues, lui, n'est pas *coupable*. Il préserve attentivement la poésie de toute communication diffuse, et l'amphithéâtre minéral dont il fait son décor ne s'adresse à des spectateurs réels qu'en apparence. En fait, les rêves nés d'une exaltation des nerfs ne peuvent être reçus que par d'autres nerfs: dans la solitude d'une chambre close. Du *Musée noir* à *La Motocyclette*, du nadir des poèmes écrits "dans les années sordides" à l'errance et à l'éclatement de *La Nuit*, *l'Amour*, il a tracé un itinéraire initiatique, où l'esprit a la chance de retrouver quelques-uns des secrets nécessaires à la lutte intestine du poète contre le Grand Objet Extérieur.'

Alain Jouffroy

PULCHÉRIE

C'est une danseuse en eau dans un diamant d'air froid parmi tous les vieillards assemblés d'un sénat décrépit, c'est une blonde princesse en dentelles déchirées ivre des mûres bleues d'un roncier chevelu, c'est une langue de chair rouge dardée fièrement vers le corsage opulent des automnes, c'est un canon printanier qui tonne sous les fougères pour des jeux hilares de sèves crues et de graines au vent, c'est la reine de la prochaine saison. Déjà crépitent les fougères de l'an passé parmi le vert nouveau des jeunes pousses, et les vieillards s'effeuillent comme des renards pris dans la tempête, et les lois sont fanées, et les jeunes yeux s'ouvrent au soleil qui dore pour leur éblouissement la promise à qui je pense; car il y a des visages tellement libres qu'ils sont comme des signaux joyeux au premier clairon du matin qui va naître.

DANS LES ANNÉES SORDIDES

Une larme de général espagnol
Récoltée pendant un émoi diurne
Une larme de général portugais
Récoltée pendant un émoi nocturne
Tremblent dans cette urne en forme de morve
Qui sera pendue au cou d'un squelette de vache
Dans les déserts à venir.

LES INCONGRUITÉS MONUMENTALES

Elle a deux mètres d'épaisseur
Cette langue de porphyre vert
Dardée contre une oreille de cipolin gris
Sur la colline où les Romains vont saluer le crâne
Du premier abonné au téléphone de la ville éternelle.

LES INCONGRUITÉS MONUMENTALES

L'honneur fuégien veut un billard de varech
Où trois langoustes roulent dans trois globes de verre.

LES INCONGRUITÉS MONUMENTALES

Un voyageur qui a vu les Indes affirme
Que des rajahs se lavent secrètement les pieds
Dans un meuble en forme de reine Victoria.

LES INCONGRUITÉS MONUMENTALES

Offert par l'artiste à la démocratie
Le corset quitté par le modèle
Qui posa pour la statue de la Liberté
Sert d'abat-jour à la lampe que l'on entretient
Sur la chaire des orateurs au Sénat

Et des relents de musc épicent les discours.

LES INCONGRUITÉS MONUMENTALES

En plein soleil c'est un chapeau
Déboutonné comme une armoire
Et plein de cervelle écrasée
Comme un chapeau d'écrasé

Haut de forme sur la mairie
Il sert de ruche aux mouches bleues
Les belles mouches favorites
Du bailli de Bâton-Rouge.

LES INCONGRUITÉS MONUMENTALES

Le rocher noir porte un brodequin rose
Socle du phare dont le mollet se cambre
D'or étincelle et d'ambre en mailles fines
Sous la jarretière qui ceint la plate-forme
Où gît le feu protecteur des navires

Ceci par l'ordre exprès du souverain
Que le royal architecte des côtes
Modelât son phare le plus hardi
Sur la jambe même de la favorite.

LES INCONGRUITÉS MONUMENTALES

Une pension d'aspect modeste
Recèle au bord du lac de Locarno
Le seul exemplaire connu de piano à langues

On vante la douceur de cet être sonore
Un peu maigre pourtant dans l'année déserte
Car il ne se nourrit que de semence de diplomate
Mais c'est un oiseau sobre qui peut jeûner longtemps
Et Meret Oppenheim le promène en laisse
Comme un cygne noir tombé de ses cheveux
Pour lui faire prendre en patience sa faim
Jusqu'aux conférences de la prochaine paix.

LES INCONGRUITÉS MONUMENTALES

Un rire sans-culotte
Empaillé de grelots
Fait partout son furet
Au lit de la reine morte.

LES INCONGRUITÉS MONUMENTALES

A A.B.

Hommage en forme de cigare
Car ces belles roses d'aluminium
Que le plastic épanouit sur les gares
Nous irons les flairer (du moins)
S'il est un peu trop tôt pour les cueillir.

CARTOLINES ET DÉDICACES

A B.

Pa pa pa pa pa
Trie
Qu'elle dit la mi
Traillette
Du para bègue
Et cinq oiseaux de paradis
Cinq blancs-becs bénichromés
Crèvent coquille
Mon ton son cœur
Qui moins de sang que d'amour bat
Devant le dernier couchant rouge
La rose du dernier matin.

(Genève, 28-1-1960.)

CARTOLINES ET DÉDICACES

A B.P.

Hommage en forme de bretelles
Car la Légion d'honneur est au plus bas
Les rats dit-on sont dans le fond de culotte
Et il convient de remonter le prestige de la France.

CARTOLINES ET DÉDICACES

Georges Schehadé

'La poésie de Georges Schehadé est ainsi qu'une précieuse gemme ou qu'un rare et merveilleux cristal qui serait né de la combinaison du surréalisme avec la poésie arabe. Il n'est pas interdit d'y voir aussi comme un témoignage de gratitude de l'Orient, vers lequel, comme on sait, le surréalisme a longtemps et passionnément regardé. La limpidité, l'innocence et l'humour sont ses vertus caractéristiques. La réserve, une sorte d'effusion perpétuellement retenue, ne sont pas les moindres éléments de son charme. Le surréalisme ne serait pas tout à fait ce qu'il est si lui avait manqué cette note légère, pure et d'une simplicité ravissante.'

André Pieyre de Mandiargues

Si tu es belle comme les Mages de mon pays
O mon amour tu n'iras pas pleurer
Les soldats tués et leur ombre qui fuit la mort
— Pour nous la mort est une fleur de la pensée

Il faut rêver aux oiseaux qui voyagent
Entre le jour et la nuit comme une trace
Lorsque le soleil s'éloigne dans les arbres
Et fait de leurs feuillages une autre prairie

O mon amour
Nous avons les yeux bleus des prisonniers
Mais notre corps est adoré par les songes
Allongés nous sommes deux ciels dans l'eau
Et la parole est notre seule absence

L'étoile reviendra sur le jardin détruit
Pareille à la goutte d'eau des naissances
Les oiseaux s'ouvriront qui n'ont plus de patience
Et ce sera le songe de la première nuit

O mon amour je suis dans une prairie
Avec des arbres de mon âge
Mais les gazelles passent dans les cils endormis
Ce soir la mort est fille du Temps bien-aimé

POÉSIES III

Alors le printemps pareil au vitrail d'un pommier, en plusieurs
    couleurs comme les yeux des biches...le Vert, le Noueux, le
    Bien-Aimé! apporte son apparence au jour et à la nuit, et
    jusqu'à la lune, plus belle que les maisons habitées.

Les yeux de la vie s'ouvrent au fond de la terre

Dans les feuilles les oiseaux en mille morceaux se mordent,
    la rose est encore serrée dans ses épines; tout est fol et nu,
    la fleur et l'eau.

Que celui qui passe dans la plaine s'en souvienne!...Vert,
    vert jusqu'aux délices et la transpiration des lacs!

POÉSIES III

Lorsque nous aurons
Des plages douces à toucher par le regard
Et cette vie où l'ombre s'écarte du jour
Le repos viendra avec ses trésors
Vous et moi sur la Terre des plages
O mon amour qui demandez au sommeil les voyages

POÉSIES III

F*

Nous irons un jour enfants de la terre
Avec nos mouchoirs vermeils
Envoler l'oiseau des mains de la pierre
Aux pays de l'ombre cette brouette triste

Dans une vallée de roses réduite mais violente
A travers les adieux du soleil
Nous verrons la nuit et le jour se défendre
Puis la lune comme une plaine sur la mer

Ainsi nous allons à la découverte du ciel
— Avec l'ombre cette brouette triste
Multipliant nos fagots dans la vie froide des nuages
Comme ceux qui dorment dans la terre éternelle

POÉSIES III

Dans le sommeil quelquefois
Des graines éveillent des ombres
Il vient des enfants avec leurs mondes
Légers comme des ossements de fleurs
Alors dans un pays lointain si proche par le chagrin de l'âme
Pour rejoindre le pavot des paupières innocentes
Les corps de la nuit deviennent la mer

POÉSIES III

Jean-Claude Silbermann

'Je ne connais pas la poésie. Elle *nous* connaît, et ça lui est égal.
Unique possible du naturel hasardeux de chaque circonstance.
Caprice de l'instant c'est nécessité par enchantement.
Harmonie: ensemble de couacs compatibles entre eux. Morne haï.
D'un point à un autre il n'y a pas de chemin. J'y suis, j'y suis déjà.
Toute pierre lancée au hasard se dirige avec étonnante précision vers
l'endroit qu'elle finira par atteindre.'
DEVISE: 'Les deux adversaires furent placés à égale distance l'un de
l'autre.' (Ponson du Terrail)

'L'aisance superbe d'un enfant des Pléiades s'autorise chez Jean-
Claude Silbermann au persiflage délicat d'un gavroche des brumes. Au
vent de la forêt druidique, n'a-t-il pas dérobé (en se riant) le secret de
l'image double?'   Robert Benayoun

POUR CELA ET POUR TOUT

Serment de mer lancé
comme un cri de mouette
dans la salive de l'aube
dans la fourrure des vagues
Bois d'amour
corne mouillée
et fleurs de liches
roches où s'ensanglante la main du vent
la rose de clarté
étreinte mon amour dans la chevalière d'embruns
dans le lit des salamandres
dans l'or du puits

AU PUITS DE L'ERMITE

LE FOIN DES HANCHES

La cornemuse des chemins à l'aube, petite sœur d'orage dont je foule la couche quand le paysage me renvoie à ma solitude.
Pourquoi dis-tu que la lanterne est un poisson?

*

Une autre nuit carnivore ma charmante. Quels mets et quels parfums aux algues de tes cuisses?
Nous nous jetterons au clavecin des mares.

*

L'accueil des seins ardents et des crues de pierres nouvelles: ombres closes où l'été découpe ses roses d'écume.

*

Frileuse comme une belle histoire.
L'autobus emporte un de tes gants. J'ai comme un goût de menuiserie dans la bouche.

AU PUITS DE L'ERMITE

A FOND PERDU

Tes jambes écartées comme un diamant
sur l'étoile des sablières

*

Par la fenêtre ouverte comme un baiser
l'effroi des prairies dans le gosier du matin

*

Sur le môle une série de petites tasses blanches
éclatent comme des seins de nonnes

*

Aux pans de la fenêtre l'ombre se dépend
je t'écris avec une goutte de jour

*

Dans la serrure à crinière le soleil fait pivoter
les timbales de la houle silencieuse

*

Une vague décoiffe les lignes de ta main
Une vague où je dors comme un animal qui boit dans une
    clairière.

AU PUITS DE L'ERMITE

BONSOIR

Le perroquet de la lune
prête une plume à tes reins
et l'oiseau qui me croit
brûle à la fenêtre
Aux déchirures du vent
se consume un chardon
rouge comme le mouchoir
de ton premier amour

AU PUITS DE L'ERMITE

BÉGUINE

Comme un gant qui s'ouvre
le champ s'ouvre sous ma main
ton ventre fait la rosée
comme un gant qui s'ouvre
je bois la neige d'été

AU PUITS DE L'ERMITE

'La vie est un rêve, dit-on. Je n'ai pas de preuves de ce qu'on avance. Je me contente de ces révélations pour le moins sensationnelles, et qui restent absolument *publiques*.'

in *La Révolution surréaliste*, no. 1

'*Georgia*, je ne parle que pour moi. Moi qui comme pas un crois à la force des paroles. Voilà un livre qui m'a fait penser à leur faiblesse.... Ce livre qui est pareil aux signes avant-coureurs de l'orage.'

Louis Aragon, in *La Révolution surréaliste*, no. 7

LE NAGEUR

Mille cris oiseaux
l'horizon trace une ligne de vie
Et les vagues visages perdus chuchotent
dans les golfes tendus comme des bras ouverts
Je suis sûr enfin d'être seul
est-ce le Nord est-ce l'Ouest
le soleil bourdonnant de lumière
rue du ciel et de la terre
je m'arrête pour savoir encore si l'été est rouge
dans mes veines
et mon ombre tourne autour de moi
dans le sens des aiguilles d'une montre
Le sommeil m'apporte les insectes et les reptiles
la douleur une grimace et le mensonge
le réveil
je flotte visage perdu au milieu d'une heure
sans secours sans appel
je descends sans conviction des marches sans but

et je continue sans regret jusqu'au sommeil
dans les yeux des miroirs et dans le rire du vent
je reconnais un inconnu qui est moi
je ne bouge plus
j'attends
et je ferme les yeux comme un verrou
Nous ne saurons jamais quand la nuit commence
et où elle finit
mais cela en somme n'a pas beaucoup d'importance
les nègres du Kamtchatka
s'endormiront ce soir près de moi
lorsque la fatigue se posera sur ma tête
comme une couronne

GEORGIA

FLEUVE

Couloir longitudinal des grands bâtiments souterrains
tendance obscure des lions parasites
ô lune affreuse qui court comme une grande lueur
fleuve
les sillages des bateaux sont tes cheveux
la nuit est ton manteau
les reflets qui dorment sur toi sont tes écailles
personne ne veut plus te connaître
tu coules des yeux de cette étoile inconnue
pleurs fertilisants
mais jamais nous ne connaîtrons ta source pâle
ton adorable bouche
et ton vagissement prolongé dans les champs de ta naissance
A chaque arbre qui se penche vers toi tu dis
Passe mon ami mon frère et regarde devant toi
les espoirs sont moisis

Il n'y a plus que ce Dieu magnifique
miséricorde
et ces grands appels là-bas très près de mon cœur
cours si tu peux jusqu'à lui
Mais ne sais-tu pas que la nuit t'étranglerait
avec ses mains sanglantes
Adieu mon frère mon ami sourd
je ne sais plus si ce fleuve qui est ton frère te reverra
jamais
Fleuve sinueux comme des lèvres
et comme le serpent qui dort dans ce gazon savoureux
brebis maternelle
troupeau de lueurs

GEORGIA

UNE MINUTE DE SILENCE

J'abandonne ce repos trop fort
et je cours haletant vers le bourdonnement des mouches
La prophétie des mauvais jours et des soirs maigres
aboutit toujours à ce grand carrefour
celle des secondes prolongées
bondé de nuages ou de cris
On joue de grands airs
et c'est la nuit qui s'approche
avec ses faux bijoux d'étoiles
Est-ce le moment de fermer les yeux
C'est l'heure des sonneries
le grand va-et-vient des visages
et des ampoules électriques
Je n'ai pas besoin d'être seul
pour croire à la volonté à la franchise au courage
Il suffit d'un parfum couleur de tabac
ou d'un geste lourd comme une grappe

L'odeur des assassinats rôde nécessairement
Mais il y a le soir qui attend bleu comme un oiseau
Mais il y a la nuit qui est à la portée de mes mains
Mais il y a une fenêtre qui s'éclaire d'un seul coup
il y a un cri
un regard qu'on devine
un regard qui est chaud comme un animal
et ces longs appels des arbres immobiles
tout ce qui s'endort pour l'immobilité
dans la concession perpétuelle du vrai silence
et ce silence plus sincère encore d'un sommet d'ombre
que les nuages baisent d'un seul coup

GEORGIA

'On ne voit jamais que l'ombre de la transparence qui est elle-même la proie de la lumière: j'écris avec l'encre de la seiche.

'Un sourire de cendres sur les lèvres, je pénètre dans l'océan pour mes plaisirs furtifs avec tel ou tel animal des grands fonds: je suis à demeure dans le demi-mot pour l'enfance de l'art et les écarts de langage, transports maritimes.

' "Vous y êtes?" me demande le Maître de céans; car, précoce, je réside également dans l'ubiquité simulée et ses plaisirs: hauts lieux, bas lieux, je désoriente.

'Masqué, j'arpente la galerie principale d'une résidence *retranchée*— SABLE—où se joue dans les miroirs sans tain l'éclat des ors réfléchis par les lunules de mes ongles.'

'Traité de Style' in *L'Alphabet spationnel*

' "Si je ne suis jamais maître de la situation c'est que je hais les domestiques..." Pour Claude Tarnaud, l'accidentel est une belle esclave dont le plus fastueux détour par la fatalité de la liberté ne saurait excuser à ses yeux la précarité avare. Aventure et condition humaines échangent entre elles les parures de leurs limites, leurs pauvres déterminantes. Seul le hasard semble échapper au naufrage, mais dépouillé de toutes ses grimaces analytiques et rendu finalement à sa fonction d'anarchie hautaine et de rigueur insolite.'

Ghérasim Luca, *Prière d'Insérer* for *La Forme réfléchie*

VIGNETTES

Le phare est la cigarette entre les lèvres du littoral beau parleur. S'il est à éclipse, l'océan se terre. S'il est à feu fixe, la falaise incendie la housse des vagues et, les dents serrées, désigne du doigt les louvoyeurs.

*

Le Sambuco qui s'échoue fait, à marée basse, sur le lais de mer, le sémaphore dément du désir. Le triangle de sa voile est la tête du dormeur effaré sous lequel les draps viennent de se donner de l'air.

*

Je fais le funambule sur les trois coups de sirène qui annoncent l'appareillage du bananier blanc dont la nuit prochaine le mât de charge sera le timon de la lune, tandis que sur ton front, à l'encre indélébile, s'inscrira la constellation d'Orion.

*

Lorsque à marée haute les requins passent les récifs, ta langue, émue par les promesses de la chasse, pointe entre tes dents, et tes paupières se referment sur les deux poissons de tes yeux.

*

Face à l'océan, je suis le centre d'un cercle dont le vent est le diamètre;

La vague est la corde qui sous-tend l'horizon et, cérémonieusement posé sur cet arc, le voilier blanc fait flèche de tout bois;

Car, frivole mais hautain, l'océan affecte d'ignorer l'excentricité.

LA FORME RÉFLÉCHIE

ANCÉA

Am I nowhere or now here?

Je tire mon Geai du tigre même
et
oiseau-ravisseur
pour concourir à la restauration précise
d'après son reflet qui seul subsiste au fond du lac
du vertigineux château d'Elle-les-Bagues
il LÈVE le vent

miroir concave dont je suis le foyer
SABLE la mer
haute locomotive de nuit
et se CHARGE à ma belle dynamo: l'iris.

S'il s'abat
c'est le soudain-surgi Haut-Duc du Pire
qui prononce: TREIZE
—la mort d'or—
et—le cheiroptère fruit de l'essor aboli—pose au pied de la
    roche hémophile
l'urne noire bientôt pleine à ras-bords

Je crie; ONZE
—le mors d'or—
complice la spirorbe tourne
faille vair
ton
rouge
et cinglante
l'horloge à orvets—la plus *au faîte* des mécaniques—(j'ajoute:
    elle est horloge à espace—ses *trois* aiguilles *provoquent*
    l'oiseau puis le *longent*)
s'ouvre sur le fléau—à couteaux-cétoines—d'une vague (à
    supposer qu'il en nie le dard d'un sourire en hâte trempé
    dans le quartz—liqueur séminale du granit—j'avance la
    cardioïde pierres *Dès*—c'est "La Main Flambe"—et brise
    sur elle ma coupe d'or-verre)

GEAI
d'un trait—le vent de nouveau son sillage—
à me percher sur la *tour d'angle* restituée
et—voyant du bateau-flamme—
à anser l'éclair de ton *Premier* geste

Les Aubes viennent m'y faire ROUE

GEAI
    dès le NouS—les deux pôles réunis par leur brûlure—
    Eau! Ce matin où tes paumes sont à marée haute
    hâte-toi bien lotie de gréer ma lente énigme
    satisfaite de l'ample gravitation de la spirorbe
    autour de notre pure marque d'août

    et si
    drissent îles en poupe
    d'entières flottes vite résonnantes de nuit
    c'est mon SOL que j'accorde à tes ailes

    Je suis Prince du Relais
                         THE WHITECLAD GAMBLER

NOTES ON THE POETS

(In the lists of publications in this section, the place of publication is Paris unless otherwise indicated. Works unrelated to surrealism are not noted.)

Louis Aragon

Born Paris, 1897. Co-editor with Breton and Soupault of the review *Littérature*, Aragon was not so quick as Breton to tire of Dadaism, showing himself particularly devoted to Dada's programme of destruction and devaluation. In the *Manifeste du Surréalisme*, however, Aragon's name is the first in an alphabetically-arranged list of those who had 'fait acte de SURRÉALISME ABSOLU'. His name appears also with those signing the following statement, dated 1930:

> Décidés à user, voire à abuser en toute occasion de l'autorité que donne la pratique consciente et systématique de l'expression écrite ou autre, solidaires en tous points d'André Breton et résolus à faire passer *en application* les conclusions qui s'imposent à la lecture du SECOND MANIFESTE DU SURRÉALISME, les soussignés, qui ne se font aucune illusion sur la portée des revues 'artistiques et littéraires', ont décidé d'apporter leur concours à une publication périodique qui, sous le titre:
>
> LE SURRÉALISME AU SERVICE DE LA RÉVOLUTION
>
> non seulement leur permettra de répondre d'une façon actuelle à la canaille qui fait métier de penser, mais préparera le détournement définitif des forces intellectuelles aujourd'hui vivantes au profit de la fatalité révolutionnaire.

But in 1930, Aragon accompanied Elsa Triolet (whom he was to marry) to Russia, accepting there an invitation to participate in a consultative capacity in the Second International Conference of Revolutionary Writers (Kharkov, November 1930), at which he succeeded in having adopted a resolution condemning Henri Barbusse's newspaper *Monde*, against which the Paris surrealists were militating. However, before his return to France, Aragon signed a declaration which required him in effect to transfer loyalty from surrealism to communism. His conduct therefore not only marked the final breakdown of surrealism's attempts to come to terms with marxism (see, for details, Victor Crastre, *Le Drame du Surréalisme*, Les Éditions du Temps, 1963) but also terminated his association with surrealism.

During the Occupation, thanks to a complete reversal of the attitudes characterizing his outlook up to 1936, Aragon was able to become a resistance writer, though Péret was to remark (in *Le Déshonneur des Poètes*, 1945), that 'aucun de ses poèmes ne dépasse le niveau lyrique de la publicité pharmaceutique'.

Une Vague de Rêves, hors 'Commerce', 1924 (reprinted from the review *Commerce*).

Le Mouvement perpétuel, Gallimard, 1926.

Le Paysan de Paris, Éditions de la N.R.F., 1926.

Au Grand Jour (in collaboration with André Breton, Paul Éluard, Benjamin Péret and Pierre Unik), Éditions surréalistes, 1927.

Le Con d'Irène, 1928.

Traité du Style, Éditions de la N.R.F., 1928.

La Grande Gaîté, Gallimard, 1929.

1929 (in collaboration with Benjamin Péret and Man Ray), 1929.

La Peinture au Défi, Galerie Goermans, 1930.

Persécuté Persécuteur, Éditions surréalistes, 1931.

On Aragon:

CURTIUS, E.-R., 'Louis Aragon', in *La Revue nouvelle*, January 15th, 1926.

GARAUDY, ROBERT, *L'Itinéraire d'Aragon du Surréalisme au Monde réel*, Gallimard, 1961.

GAVILLET, ANDRÉ, *La Littérature au Défi: Aragon surréaliste*, Geneva, à la Baconnière, 1957.

GOLL, IVAN, 'Louis Aragon', in *Le Journal littéraire*, August 2nd, 1924.

RENÉVILLE, ROLAND DE, 'Louis Aragon: l'humour et la poésie', in *Cahiers du Sud*, 1929.

ROUDIEZ, LEON S., 'The Case of Louis Aragon and Surrealism', *The French Review*, vol. XXVI, no. 2, December 1952, pp. 96-104.

ROY, CLAUDE, *Louis Aragon*, Seghers, Collection 'Poètes d'Aujourd'hui', 1946.

THIALET, GEORGES, 'A propos de Louis Aragon', in *Sélection*, August 1924.

Jean Arp

Born Strasbourg, 1887. One of the founders of Dadaism in Zurich, where he met his future wife, Sophie Taueber. Organized with Ernst and Baargeld a memorable Dada exhibition in Cologne in 1920, and made a notable contribution to Dadaist painting, as well as poetry. His first Dadaist poems were published in German in 1919 under the title *Die Wolkenpumpe*. But he did not publish in French until the thirties, by which time he was acknowledged as one of the most gifted of surrealist painters.

(Publications in French and English only are noted.)

Sciure de Gamme, (H. Parisot), n.d.

Des Taches dans le Vide, Sagesse, 1937.

Poèmes sans Prénoms, Grasse, privately printed, 1941.

Rire de Coquille, Amsterdam, Verdemberge-Gildewart, 1944.

Le Blanc aux Pieds de Nègre (in collaboration with V. Huidobro), Fontaine, 1945.

Le Siège de l'Air, Vrille, 1946.

On My Way: Poetry and Essays—1912-1947, New York, Wittenborn-Schultz, 1948.

Onze Peintres vus par Arp, Zurich, Girsberger, 1949.

Souffle, (Alès), (P. A. Benoît), 1950.

Le Voilier dans la Forêt, Louis Broder, 1957.

Antonin Artaud

Born Marseille, 1896; died 1948. One of the first members of the surrealist group, Artaud did not remain associated for long with Breton. His departure from surrealism was celebrated by a privately printed tract, *A la Grande Nuit ou le Bluff surréaliste*, (1927). Castigated, like Desnos, in the *Second Manifeste du Surréalisme*, Artaud received, as he did, a special word of apology in the *Avertissement* which accompanied the reprinting of the manifesto in 1946. Indeed those who in 1925, in the third number of their review *La Révolution surréaliste*, addressed an open letter to *médecins-chefs des asiles de fous*, could not but be sympathetic towards a man who was destined to be interned in an asylum at Rodez:

> Sans insister sur le caractère parfaitement génial des manifestations de certains fous, dans la mesure où nous sommes aptes à les apprécier, nous affirmons la légitimité absolue de leur conception de la réalité, et de tous les actes qui en découlent. Puissiez-vous vous en souvenir

demain matin à l'heure de la visite, quand vous tenterez sans lexique de converser avec ces hommes sur lesquels, reconnaissez-le, vous n'avez d'avantage que celui de la force.

Thus, though Hugnet omits Artaud from his *Petite Anthologie poétique du Surréalisme*, Péret's *La Poesia surrealista francese* offers representative texts, and lists in its bibliography all Artaud's published writings.

Tric Trac du Ciel, Galerie Simon, 1923.
L'Opium pendu ou la Fécalité de l'Esprit social (dépositaire Librairie Gallimard), 1924.
L'Ombilic des Limbes, Éditions de la N.R.F., 1925.
Le Pèse-Nerfs, Collection 'Pour Vos beaux Yeux', 1925.
Correspondance avec Jacques Rivière, Éditions de la N.R.F., 1927.
A la Grande Nuit ou le Bluff surréaliste, privately printed, 1927.
Point final, privately printed, 1927.
L'Art et la Mort, A l'Enseigne des Deux Magots, Robert Denoël, editeur, 1929.
Le Moine de Lewis, Denoël & Steele, 1931.
Héliogabale ou l'Anarchiste couronné, Denoël & Steele, 1934.
Les Nouvelles Révélations de l'Être, Denoël & Steele, 1937.
Le Théâtre et son Double, Gallimard, Collection 'Métamorphoses', 1938.
Révolte contre la Poésie, 1944.
Au pays des Tarahumaras, Fontaine, 1945.
Lettres de Rodez, G.L.M., 1946.
Portraits et Dessins, Galerie Pierre, 1947.
Artaud le Momo, Bordas, 1947.
Van Gogh ou le Suicide de la Société, K. Éditeur, 1947.
Ci-Gît précédé de la *Culture indienne*, Pour le compte de K. Éditeur, 1947.
Pour en Finir avec le Jugement de Dieu, 1948.
Le Théâtre de Séraphin, 'L'Air du Temps', 1948.
Lettre contre la Cabbale, chez Jacques Haumont, 1949.
Supplément aux Lettres de Rodez suivi de *Coleridge le Traître* ,G.L.M. 1949.
Lettres à Jean-Louis Barrault, Bordas, 'Documents de la *Revue théâtrale*', 1952.
Vie et Mort de Satan le Feu suivi de *Textes mexicains pour un nouveau Mythe*, Arcanes, Collection 'Voyants', 1953.
Galapagos. Les Iles du Bout du Monde, Broder, 1955.

Les Tarahumaras, Décines, l'Arbalète, Marc Barbezat, 1955.
Œuvres complètes, Gallimard, vol. I, 1956, vol. II, 1961, vol. III, 1961 . . .
Autre Chose que de l'Enfant beau, Louis Broder, 1957.
The Theater and Its Double, New York, Grove Press, 1958.

On Artaud:
'Antonin Artaud', special number of the review *K*, no. 1-2, June 1948.
'Antonin Artaud et le Théâtre de notre Temps', special number of the *Cahiers de la Compagnie Madeleine-Renaud—Jean-Louis Barrault*, no. 22-3, May 1958.
'Antonin Artaud ou la Santé des Poètes', special number of the review *La Tour du Feu*, December 1959.
KNAPP, BETTINA, 'Artaud: A New Type of Magic', *Yale French Studies*, no. 31, May 1964, pp. 88-98.
SAILLET, MAURICE, 'Close to Antonin Artaud', *Evergreen Review*, vol. IV, no. 13, May-June 1961, pp. 79-88.

Jean-Louis Bédouin

Born Neuilly-sur-Seine, 1929. Met Breton and began to participate in the activities of the surrealist group at the end of 1947, joining the editorial board of *NEON* and participating in the manifestations organized under the title 'Solution surréaliste' (1948-49). In 1952 made in collaboration with Michel Zimbacca the film *L'Invention du Monde*, devoted to primitive art and accompanied by a commentary written by Péret.

André Breton, Seghers, Collection 'Poètes d'Aujourd'hui', 1950.
L'Invenzione del Mondo (in collaboration with Michel Zimbacca & Benjamin Péret), Milan, Galleria Schwarz, 1959.
Storia del Surrealismo (1919-1959), vol. II (vol. I is an Italian translation of Breton's *Entretiens*), Milan, Galleria Schwarz, 1960.
Les Masques, Presses Universitaires de France, 1961.

Benjamin Péret, Seghers, Collection 'Poètes d'Aujourd'hui', 1961.
Vingt Ans de Surréalisme (*1939-1959*) (a noticeably modified version of
   the text published by Galleria Schwarz), Denoël, 1961.
Victor Segalen, Seghers, Collection 'Poètes d'Aujourd'hui', 1963.
La Poésie surréaliste, Seghers, 1964.
La Belle Vie, (to appear).

Robert Benayoun

Born 1926, Port-Lyautey, Morocco. Joined the surrealist group in
1948, founding in collaboration with Ado Kyrou the review *L'Âge du
Cinéma* (1950). Benayoun has collaborated on all the surrealist reviews
since *Médium*, founded in 1952. In 1959 he founded the series 'Le
Lycanthrope', published in Paris by Jean-Jacques Pauvert, inaugurated
with his own *La Science met bas*.

Bouillon d'onze heures (in collaboration with Péret), 1952.
Anthologie du Nonsense, Pauvert, 1957.
La Science met bas, Pauvert, 1959.
Le Dessin animé après Walt Disney, Pauvert, 1961.

André Breton

Born 1896, Tinchebray (Orne). Animator and acknowledged leader of
surrealism in France. Breton published his first book of poems, *Mont
de Piété* in 1919, the year Tristan Tzara arrived in Paris to organize
Dadaist activities there. Since confirming his break with Dada and
establishing his own programme in the first *Manifeste du Surréalisme*
(1924), Breton has exercised a dominant influence over the surrealist
group, both through his creative and theoretical writings and thanks to
his compelling personality.

Les Champs magnétiques (in collaboration with Philippe Soupault), Au Sans Pareil, 1920.

Clair de Terre, 1925.

Manifeste du Surréalisme; Poisson soluble, Aux Éditions du Sagittaire, chez Simon Kra, 1924.

Les Pas perdus, Éditions de la N.R.F., 1924.

Introduction au Discours sur le Peu de Réalité, Gallimard, 1924.

Légitime Défense, Éditions surréalistes, 1926.

Au Grand Jour (in collaboration with Louis Aragon, Paul Éluard, Benjamin Péret and Pierre Unik), Éditions surréalistes, 1927.

Nadja, Éditions de la N.R.F., 1928.

Le Surréalisme et la Peinture, Gallimard, 1928.

Second Manifeste du Surréalisme, Kra, 1930.

Ralentir Travaux (in collaboration with René Char and Paul Éluard), Éditions surréalistes, 1930.

L'Immaculée Conception (in collaboration with Paul Éluard), Éditions surréalistes (chez José Corti), 1930; reprinted Seghers, 1961.

L'Union Libre, Éditions surréalistes, 1931.

Misère de la Poésie: 'L'Affaire Aragon' devant l'Opinion publique, Éditions surréalistes, 1932.

Le Revolver à Cheveux blancs, Éditions des Cahiers libres, 1932.

Les Vases communicants, Éditions des Cahiers libres, 1932.

L'Air de l'Eau, Éditions Cahiers d'Art, 1934.

Point du Jour, Gallimard, 1934.

Qu'est-ce que le Surréalisme?, Brussels, Henriquez, 1934.

Position politique du Surréalisme, Éditions du Sagittaire, 1935.

What is Surrealism? (trans. David Gascoyne), London, Faber, 1936.

Notes sur la Poésie (in collaboration with Paul Éluard), G.L.M., 1936.

L'Amour fou, Gallimard, 1937.

De l'Humour noir, G.L.M., 1937.

Dictionnaire abrégé du Surréalisme (in collaboration with Paul Éluard), Galerie des Beaux-Arts, 1938.

Pour un Art révolutionnaire indépendant (written in collaboration with Leon Trotsky, though Diego Rivera's name appears on the cover), Mexico, July 25th, 1938.

Anthologie de l'Humour noir, Éditions du Sagittaire, 1940; enlarged edition, 1950.

Pleine Marge, New York, Nierendorf Gallery, 1940. (Reprinted as no. 5 of the 'Pages libres de la Main à Plume', in 1942.)

First Papers of Surrealism (in collaboration with Marcel Duchamp), New York, Co-ordinating Council of French Relief, 1942.

Arcane 17, New York, Brentano's, 1944.

Le Surréalisme et la Peinture suivi de *Genèse et Perspectives artistiques du Surréalisme* et de *Fragments inédits*, New York, Brentano's, 1945.

Situation du Surréalisme entre les Deux Guerres (text of Breton's lecture at Yale University, reprinted from *Fontaine*), Éditions de la Revue *Fontaine*, 1945.

Les Manifestes du Surréalisme suivi de *Prolégomènes à un Troisième Manifeste du Surréalisme ou Non*, Le Sagittaire, 1946.

Young Cherry Trees Secured Against Hares/Jeunes Cerisiers garantis contre les Lièvres (translations by Edouard Roditi), New York, View Editions; London, A. Zwemmer; Paris, La Jeune Parque, 1946.

Arcane 17, Enté d'Ajours, Le Sagittaire, 1947.

Ode à Charles Fourier, Éditions de la Revue *Fontaine*, 1947.

Le Surréalisme en 1947 (edited in collaboration with Marcel Duchamp), Éditions Pierre à Feu, Galerie Maeght, 1947. (This is a collection of texts published for the 1947 Surrealist Exhibition. There were over 30 contributors.)

La Lampe dans l'Horloge, Éditions Robert Marin, 1948.

Martinique Charmeuse de Serpents (in collaboration with André Masson), Le Sagittaire, 1948.

Poèmes, Gallimard, 1948.

Flagrant Délit: Rimbaud devant la Conjuration de l'Imposture et du Truquage, Thésée, 1949.

Entretiens 1913-1952, N.R.F., 1952.

La Clé des Champs, Les Éditions du Sagittaire, 1953.

Adieu ne Plaise (Alès), (P.A.B.), 1954.

Farouche à Quatre Feuilles (in collaboration with Lise Deharme, Julien Gracq and Jean Tardieu), chez Grasset, 1954.

Les Manifestes du Surréalisme suivi de *Prolégomènes à un Troisième Manifeste du Surréalisme ou Non*, du *Surréalisme en ses Œuvres vives* et d'*Ephémérides surréalistes*, Le Sagittaire, 1955.

L'Art magique (avec le concours de Gérard Legrand), Formes et Couleurs, 1957.

Constellations ('prose parallels' to drawings by Joan Miró), New York, Pierre Matisse, 1959.

Poésie et Autre, Le Club du Meilleur Livre, 1960.

Nadja (trans. Richard Howard), London, Evergreen Books; New York, Grove Press, 1960.

Le La, Alès, P.A.B., 1961.

Premier Manifeste, Second Manifeste, Prolégomènes à un Troisième Manifeste du Surréalisme ou Non, Position politique du Surréalisme, (extracts), *Poisson soluble, Lettre aux Voyantes, Du Surréalisme en ses Œuvres vives*, Pauvert, 1962.

Nadja (entirely revised edition), Gallimard, 1963.

On Breton (books only are noted):

BÉDOUIN, JEAN-LOUIS, *André Breton*, Seghers, Collection 'Poètes d'Aujourd'hui', 1950.

CARROUGES, MICHEL, *André Breton et les Données fondamentales du Surréalisme*, Gallimard, 1950.

CRASTRE, VICTOR, *André Breton*, Arcanes, 1952.

EIGELDINGER, MARC, ed., *André Breton: Essais et Témoignages*, Neuchâtel, A la Baconnière, 1950.

GRACQ, JULIEN, *André Breton: Quelques Aspects de l'Écrivain*, Corti, 1948,

MAURIAC, CLAUDE, *André Breton: Essai*, Éditions de Flore, 1949.

Guy Cabanel

Born Béziers (Hérault), 1926. Interested in surrealism from 1947. Especially impressed by Breton's manifestoes and *L'Amour fou*, Cabanel began at this time to write *A l'Animal noir*, completed in 1958. Illustrated by Robert Lagarde, this text was cyclostyled (fifteen copies only) and distributed among members of the surrealist group. In 1959 Cabanel made the acquaintance of Breton, discovered Zen Buddhism, subsequently writing *Maliduse*, completed in December and published in the October of 1961.

A l'Animal noir, St Lizier, 1958.

Maliduse, St Lizier, privately printed, 1961.

Born Lorrain, Martinique, 1912. Director, in Fort-de-France, Martinique, of the surrealist review *Tropiques* (1941-5), Césaire was publicly acclaimed by Breton in *Hémisphères* (see below). He contributed to *VVV*, between 1942 and 1944. But his political convictions—he was a Communist *député* for Martinique—were to stand between him and complete fidelity to surrealism. Since his separation from the Communists (see *Lettre à Maurice Thorez*, Éditions Présence africaine, Paris, 1957), Césaire has displayed no inclination to return to surrealism.

Cahiers du Retour au Pays natal, Cuba, 1943; New York, Éditions Hémisphères, 1944; Paris, Éditions Présence africaine, 1956.
Les Armes miraculeuses, Éditions de la N.R.F., 1946.
Soleil Cou coupé, Éditions K, 1947.
Corps perdu, Éditions Flagrance, 1949.
Cadastre (reprints *Soleil Cou coupé* and *Corps perdu*), Aux Éditions du Seuil, 1961.

On Césaire:
BRETON, ANDRÉ, 'Un grand poète noir', in *Hémisphères*, no. 2-3, Winter 1943-4, pp. 3-11.
JOHN, J., 'Césaire und der Surrealismus, Versuch einer Richtigetellung', in *Texte und Zeichen*, vol. II, 1956, pp. 430-3.
KESTELOOT, L., *Aimé Césaire*, Seghers, Collection 'Poètes d'Aujourd'hui', 1962.
PATRI, AIMÉ, 'Aimé Césaire', in *Paru*, vol. XXVIII, March 1947, pp. 41-2.
See also Césaire, 'Réponse à Depestre, poète haïtien, éléments d'un art poétique', in *Présence africaine*, Nouvelle Série, no. 1-2, April-June 1955.

René Char

Born Isle-sur-Sorgue (Vaucluse), 1907. If the publication of the tract *Un Cadavre* (1930) directed against Breton made public differences within the surrealist group culminating in the departure of several of its members, a number of his old acquaintances (Aragon, Crevel, Éluard, Ernst, Péret, Tanguy) publicly declared that 'le *Second Manifeste* donne toute sécurité pour apprécier ce qui est mort et ce qui est plus que jamais vivant dans le surréalisme'—that it was, in fact, 'la somme des droits et des devoirs de l'esprit'. Meanwhile the loss of some supporters was compensated by the appearance of new figures: Buñuel, Dali, Sadoul, Thirion, and Char, who all associated themselves with the declaration in Breton's favour.

Char could still be counted among the surrealists when, during the winter of 1940, several of them gathered in Marseille around Breton, just before the latter's departure for the United States. And though Char had left surrealism by the time Breton returned to France in 1946, when interviewed by Jean Duché (*Le Littéraire*, October 5th, 1946), Breton, remarking, 'Pour parer à l'ennui mortel que distillent aujourd'-hui de publications dites poétiques, l'accent doit être mis sur le pouvoir de dépassement, fonction du *mouvement* et de la *liberté*', included Char with Arp, Artaud, Césaire, Michaux, Péret, Picabia, Prévert and Reverdy as '*modèles inimitables*'.

Arsenal, privately printed, 1929.
Artine, Éditions surréalistes, 1930.
Ralentir Travaux (in collaboration with André Breton and Paul Éluard), Éditions surréalistes, 1930.
Le Tombeau des Secrets, privately printed, 1930.
L'Action de la Justice est éteinte, Éditions surréalistes, 1931.
Hommage à D.A.F. Sade, privately printed, 1931.
Paul Eluard, privately printed, 1933.
Le Marteau sans Maître (contains *Arsenal*, *Artine*, *L'Action de la Justice est éteinte*, *Poèmes militants*, *Abondance viendra*, *Moulin premier*), Éditions surréalistes (chez J. Corti), 1934.
'The Journey is done', *Yale French Studies*, no. 31, May 1964, p. 126.

Born Paris, 1900; died 1945. Desnos's particular aptitude for speaking in mediumistic trance was much valued during the early days of surrealism (see 'L'Entrée des Médiums', in *Les Pas perdus* and also *Nadja*). But between the publication of the First Manifesto, where his qualities received some stress, and the Second, Desnos became estranged from the surrealist group. In his *Second Manifeste*, Breton wrote:

> ... je ne pense pas qu'il y ait grave inconvénient pour le surréalisme à enregistrer la perte de telle ou telle individualité même brillante, et notamment au cas où celle-ci qui, par elle-même, n'est plus entière, indique par tout son comportement qu'elle désire rentrer dans la norme. C'est ainsi qu'après lui avoir laissé un temps incroyable pour se reprendre à ce que nous espérions n'être qu'un abus passager de sa faculté critique, j'estime que nous nous trouvons dans l'obligation de signifier à Desnos que, n'attendant absolument plus rien de lui, nous ne pouvons que le libérer de tout engagement pris naguère vis-à-vis de nous. Sans doute je m'acquitte de cette tâche avec une certaine tristesse. A l'encontre de nos premiers compagnons de route que nous n'avons jamais songé à retenir, Desnos a joué dans le surréalisme un rôle nécessaire, inoubliable et le moment serait sans doute plus mal choisi qu'aucun pour le contester...

Later the *Avertissement* Breton wrote in 1946, when his Second Manifesto was reprinted, carried an apology for the violence of its attack upon certain former associates. In the prominence given at that date to the name of Desnos may be detected further evidence of Breton's regret at the loss of support from a writer of remarkable imaginative power, whose contribution to surrealism might well have proved to be among the most striking examples of its inspirational force (see for example Desnos's *La Papesse du Diable*, published pseudonymously under the names 'Jehan Sylvius' and 'Pierre de Ruynes', by Le Terrain Vague in 1958).

Deuil pour Deuil, Aux Éditions du Sagittaire, chez Simon Kra, 1924.
C'est les Bottes de Sept Lieues, Cette Phrase 'Je me vois', Éditions de la Galerie Simon, 1926.
La Liberté ou l'Amour!, Aux Éditions du Sagittaire, chez Simon Kra, 1927.
Corps et Biens, Éditions de la N.R.F., 1930.

The Night of the Loveless Nights, Anvers, privately printed, 1930.

La Place de l'Étoile, 'antipièce' (written 1927, revised 1944), Rodez, Place de la Cité, 1945.

Choix de Poèmes (Preface by Georges Hugnet), Éditions de Minuit, 1946.

De l'Érotisme considéré dans ses Manifestations écrites et du Point de Vue de l'Esprit moderne, Éditions Cercle des Arts, 1952.

Domaine public (includes *Corps et Biens*), Gallimard, 1953.

La Liberté ou l'Amour! suivi de *Deuil pour Deuil*, Gallimard,1962.

On Desnos:

BERGER, PIERRE, *Robert Desnos*, Seghers, Collection 'Poètes d'Aujourd'-hui', 1960.

BUCHOLE, ROSA, *L'Évolution poétique de Robert Desnos*, Brussels, Palais des Académies, 1956.

NADEAU, MAURICE, 'Le Souvenir de Robert Desnos', in his *Littérature présente*, Corrêa, 1952, pp. 305-9.

See also a special number of the review *Simoun* (Oran), vol. V, no. 22-3, 1956, and the commentary for the film *Records 37* by J. Brunius, 1937.

Pierre Dhainaut

Born 1935, in Lille. Soon after meeting his wife in 1956 Dhainaut became friendly with the surrealists. He now lives at Dunkerque, 'en face à la mer'.

Mon Sommeil est un Verger d'Embruns, Ussel, Éditions Peralta, 1961.
Secrète lumineuse, Goudargues, Éditions de la Salamandre, 1963.
Sur le Lit du Jour, (to appear).

Jean-Pierre Duprey

Born Rouen, 1930. Arriving in Paris in 1948, he came into contact with Breton and the surrealist group in the following year. Committed suicide in 1959.

Derrière son Double, Le Soleil noir, 1950.
Derrière son Double suivi de *Spectreuses*, Le Soleil Noir, 1964.
La Fin et la Manière, Le Soleil Noir, (to appear).

On Duprey:
JOUFFROY, ALAIN, 'Jean-Pierre Duprey', in *Phases*, no. 5-6, 1959.
PIEYRE DE MANDIARGUES, ANDRÉ, 'La Mort volontaire', in *La Nouvelle Nouvelle Revue française*, vol. XIV, 1959, pp. 1135-7.

Paul Éluard

Born St.-Denis (Seine), 1895; died 1952. Closely associated with Breton during their period of affiliation to Dadaism, Éluard became one of the leaders of early surrealism, and one of its most productive writers. If his verse is among the most striking expressions of surrealism, his prose collections culminating in *Donner à Voir* are essential reading for an understanding of surrealist ambitions and the orientation of surrealist thought. Éluard's rupture with surrealism in 1938 is generally attributed to differences of opinion on matters of political ideology which left Éluard, like Aragon, with the necessity for making a choice between surrealism and communism. But the complexities of the problem relating to Éluard's differences with Breton have been examined with some care by Francis J. Carmody, whose conclusions (see 'Éluard's Rupture with Surrealism', in *P.M.L.A.*, September 1961, pp. 436-46), it should be noted, are based upon solely external evidence.

Répétitions, Au Sans Pareil, 1922.
Les Malheurs des Immortels (révélés par Paul Éluard et Max Ernst), Librairie Six, 1922.

Mourir de ne pas Mourir, Éditions de la N.R.F., 1924.

152 Proverbes mis au Goût du Jour (in collaboration with Benjamin Péret), La Révolution surréaliste, 1925.

Au Défaut du Silence, privately printed, 1926.

Capitale de la Douleur, Éditions de la N.R.F., 1926; reprinted Gallimard, 1962.

Les Dessous d'une Vie ou la Pyramide humaine, Les Cahiers du Sud, 1926.

Au Grand Jour (in collaboration with Louis Aragon, André Breton, Benjamin Péret and Pierre Unik), Éditions surréalistes, 1927.

Défense de Savoir, Éditions surréalistes, 1928.

L'Amour, La Poésie, Éditions de la N.R.F., 1929.

A Toute Épreuve, Éditions surréalistes, 1930.

L'Immaculée Conception (in collaboration with André Breton), Éditions surréalistes (chez J. Corti), 1930; reprinted Seghers, 1961.

Ralentir Travaux (in collaboration with André Breton and René Char), Éditions surréalistes, 1930.

Dors, privately printed, 1931.

La Vie immédiate, Éditions des Cahiers libres, 1932.

Comme deux Gouttes d'Eau, Éditions surréalistes, chez J. Corti, 1933.

La Rose publique, Gallimard, 1934.

Facile (in collaboration with Man Ray), G.L.M., 1935.

Nuits partagées, G.L.M., 1935.

Notes sur la Poésie (in collaboration with André Breton), G.L.M., 1936.

Thorns of Thunder (trans. Samuel Beckett, etc.), London, Europa Press & Stanley Nott, 1936.

Les Yeux fertiles, G.L.M., 1936.

Appliquée, privately printed, 1937.

Avenir de la Poésie, G.L.M., 1937.

L'Évidence poétique, G.L.M., 1937.

Les Mains libres (in collaboration with Man Ray), Aux Éditions Jeanne Bucher, 1937.

Premières Vues anciennes (reprinted from the tenth number of *Minotaure*), 1937.

Quelques-uns des Mots qui Jusqu'ici m'étaient mystérieusement interdits, G.L.M., 1937.

Dictionnaire abrégé du Surréalisme (in collaboration with André Breton), Galerie des Beaux-Arts, 1938.

Cours naturel, Éditions du Sagittaire, 1938.

Donner à Voir, Éditions de la N.R.F., 1939.

Le Poète et son Ombre (textes inédits présentés et annotés par Robert D. Valette), Seghers, 1963.

On Éluard:

BENOIT, LEROY J., 'Poetic Themes of Éluard', in *Modern Language Quarterly*, vol. XII, 1951, pp. 216-29.

BOGAN, LOUIS, 'The Poetry of Paul Éluard', in her *Selected Criticism*, New York, The Noonday Press, 1955, pp. 157-70.

CARROUGES, MICHEL, 'Paul Éluard ou l'Homme Miroir et Soleil du Vide', in *Domaine français*, vol. I, no. 1.

CLAESSENS, F., 'Introduction à la lecture d'Éluard', in *Cahiers d'Analyse textuelle*, no. 2, 1960, pp. 21-43.

DELATTRE, ANDRÉ, 'Personal Notes on Paul Éluard', in *Yale French Studies*, Fall-Winter 1948, pp. 103-5.

FOWLIE, WALLACE, 'Éluard's Doctrine of Love', in *Accent*, Winter 1950.

GROS, L-G., 'Le Langage au Service de l'Amour', in *Cahiers du Sud*, December 1929, pp. 57-64.

'L'œuvre exemplaire de Paul Éluard', in *Cahiers du Sud*, no. 248, 1942, pp. 366-72.

PARROT, LOUIS & MARCENAC, JEAN, *Paul Éluard*, Seghers, Collection 'Poètes d'Aujourd'hui', 1944.

PICON, GAËTON, 'Tradition et Découverte chez Éluard', in *Fontaine*, vol. X, March 1947, pp. 962-74.

POULET, R., 'Éluard', in his *Lanterne magique*, 1956, pp. 131-7.

RHODES, S. A., 'Aspects of Éluard', in *The French Review*, vol. XXX, 1956-7, pp. 115-20.

ROY, CLAUDE, ed., *Paul Éluard: Poésies*, Le Club du Meilleur Livre, 1959.

SHOWALTER, ENGLISH, Jr., 'Biographical Aspects of Éluard's Poetry', in *P.M.L.A.*, vol. LXXVIII, no. 3, June 1963, pp. 280-6.

SÖDERGÅRD, OSTEN, 'Étude sur le Vocabulaire de *Capitale de la Douleur*', in *Studia Philologica*, vol. XXXII, 1960, pp. 106-16.

Maurice Henry

Born 1907, Cambrai (Nord). A member of the surrealist group from 1932 to 1951, Henry has designed stage sets and written film scripts. He is best known for his cartoons, one of which is reproduced in the catalogue of the 1947 International Surrealist Exhibition, at which some of his paintings were shown.

Les Abattoirs du Sommeil, Éditions Sagesse, 1937.
Les Paupières de Verre, Fontaine, 1945.
Les Métamorphoses du Vide, Éditions de Minuit, 1955.
Maurice Henry's Kopfkissenbuch, Zurich, Diogenes Verlag, n.d.
Sogno, che io sogno, che io..., Milan, Baldini & Castoldi, n.d.
Vive la Fuite, Pierre Horay, n.d.
A Tort ou à Raison, Pauvert, n.d.
Les 32 Positions de l'Androgyne, Pauvert, n.d.
Maurice Henry: 1930-1960, Pauvert, 1961.

Alain Jouffroy

Born Paris, 1928. Published his first verse in the surrealist review *NEON*. The collection from which these extracts were taken—*L'Aube à l'Antipode, carnet de bord*—has not been published. Despite his estrangement from surrealism, Jouffroy has shown himself since both sympathetic and subtle in his interpretations of surrealist attitudes (see, for example, his newspaper articles in *Arts*).

Le surréalisme, avec lequel je suis entré en contact à l'âge de 18 ans, en 1946, a été pour moi la révélation initiale,—le bond nécessaire hors des limites que le destin familial m'avait assignées. La rencontre fortuite d'André Breton, dans un hôtel de Huelgoat (Finistère), et les chances intérieures que cette rencontre a suscitées dans ma vie, ont joué un rôle déterminant, et libérateur, dans ma formation sensible et intellectuelle.

Exclu du groupe surréaliste dès 1948, peu après Matta et en même temps que mon ami Victor Brauner, je crois être resté fidèle à l'esprit surréaliste pendant quelques années. Mais cet esprit, c'est en moi et pour moi qu'il a pris corps. Je ne le confonds donc pas avec l'esprit du *groupe* ou du *mouvement* surréaliste, qui est, aujourd'hui encore, tout entier centralisé dans la personne d'André Breton.

Je ne me considère pas comme un poète surréaliste orthodoxe. Je me suis toujours senti en marge de tout. Dans toutes mes actions, dans toutes mes pensées et dans tous mes sentiments, je n'ai jamais fait que me fier aveuglément à des décisions improvisées et fatales, les miennes. L'admiration sans réserves que j'ai ressentie pour des hommes comme Antonin Artaud, Georges Bataille, Henri Michaux et André Pieyre de Mandiargues a contribué, autant que l'œuvre d'André Breton, à exalter en moi ce qu'il y avait d'unique et d'injustifiable.

Plus qu'une école ou une secte initiatique, le surréalisme a été pour moi la structure fondamentale secrète de tout ce que j'ai entrepris ou voulu entreprendre. Mais, à l'intérieur de cette structure, toutes les contradictions de ma pensée n'ont jamais cessé d'agir et de se manifester. C'est à ces contradictions que j'ai préféré consacrer mon énergie, plutôt qu'à respecter une ligne qu'André Breton ne suit plus qu'en pointillés très discontinus au-dessus du temps.

Attulima, La Balance, 1954.
Les Quatre Saisons d'une Âme, Éditions du Dragon, 1955.
A Toi, Gallimard, 1958.
Brauner, Éditions Georges Fall, 1959.
Le Mur de la Vie privée, Grasset, 1960.
Déclaration d'Indépendance, San Francisco, City Lights Books, 1961.
Hans Bellmer (trans. Bernard Frechtman), London, William & Noma Copley Foundation, 1961.
Tire à l'Arc, Milan, Galleria Schwarz, 1962.
L'Épee dans l'Eau: poèmes en hommage à Lucio Fontana, Milan, Galleria Schwarz, 1962.
Un Rêve plus long que la Nuit, Gallimard, 1963.

Jean-Jacques Lebel

Born Paris, 1936. Studied in Florence and New York. Joined the surrealist group in 1953. Held his first exhibition of paintings in Florence in 1955. Co-organizer with Tristan Sauvage of the *Journées*

G*

surréalistes de Milan (1959). Founder and editor of the surrealist review *Front unique*, which at first appeared in the form of posters, before being printed in the conventional manner by Arturo Schwarz, in Milan. (Tristan Sauvage and Arturo Schwarz are in fact one and the same person). Since his departure from surrealism, Lebel has organized in conjunction with Alain Jouffroy public manifestations (Paris, April, 1960; Venice, June 1960; Milan, June 1961) under the title *Anti-Procès*. Since 1962 has sought more direct contact with his public than is possible by means of the printed text: has organized and participated in 'happenings'.

Choses, privately printed, 1953.
Devenir, Oswald, 1959.
Tancredi par lui-même, privately printed, 1960.

Gérard Legrand

Born Paris, 1927. Met Breton in 1948, and from that date participated in surrealist activities. Legrand has contributed regularly to the surrealist reviews from *Médium* onward, and directed *BIEF, Jonction surréaliste*.

Puissances du Jazz, Arcanes, 1953.
Des Pierres de Mouvance, privately printed, 1953.
Lautréamont, *Poésies*, première édition commentée (in collaboration with Georges Goldfayn), Le Terrain vague, 1960.

Michel Leiris

Born Paris, 1901. Joined the surrealist movement in 1924, contributing to *La Révolution surréaliste*; left the group after the disagreements culminating in the tract against Breton, *Un Cadavre*, which Leiris signed, as did Desnos. Leiris's autobiography, *L'Âge d'Homme*, published in 1939, mentions briefly his association with surrealism, and casts light upon his motives in joining the group. His novel *Aurora* was written during his surrealist period, though not published until eighteen years later.

Simulacre, Simon, 1925.
Le Point cardinal, Aux Éditions du Sagittaire, chez Simon Kra, 1927.
Glossaire; *j'y serre mes gloses*, Éditions de la Galerie Simon, 1939.
Aurora, Éditions de la N.R.F., 1946.

Jean Malrieu

Born 1915, Montauban (Tarn-et-Garonne). His first book of verse was hailed on behalf of the surrealists by André Liberati in *Médium*, 1953. But Malrieu did not publish verse in any surrealist review before the second number of *La Brèche*, in May 1962. He has defined his attitude towards poetry in a text, '*La Poésie*', reproduced in *Préface à l'Amour*.

Préface à l'Amour, Marseille, Cahiers du Sud, 1953.
Terres de l'Enfance (in collaboration with P. Primault and Henri Lhong), Privat-Presses universitaires de France, 1961.
Vesper, Veilhes par Lavaur, La Fenêtre ardente, 1962.

Joyce Mansour

Born Bowdon, England, 1928, of Egyptian parents. Educated in England, Switzerland and Egypt. Attracted the attention of the surrealists with her first verse collection, *Cris*. Joyce Mansour has subsequently contributed verse and prose texts to the surrealist reviews *Le Surréalisme, même*, *Front unique*, *BIEF*, and *La Brèche*. She participated with Robert Benayoun, Jacques Brunius, Nora Mitrani and Octavio Paz in the broadcast programme 'In Defence of Surrealism', in the B.B.C.'s series 'Art—Anti-Art', in February 1960.

Cris, Seghers, 1953.

Déchirures, Éditions de Minuit, 1955.
Jules César, Seghers, 1955.
Les Gisants satisfaits, Pauvert, 1956.
Rapaces, Seghers, 1960.

On Joyce Mansour:
BERGER, PIERRE, 'Une étrange demoiselle: Joyce Mansour', in *Carrefour*, 16ème année, no. 754, February 25th, 1959, p. 11.
HUBERT, RENÉE RIESE, 'Three Women Poets: Renée Rivet, Joyce Mansour, Yvonne Caroutch', in *Yale French Studies*, no. 21, Spring-Summer, 1958.

Jehan Mayoux

Born 1904, Cherves-Châtelars (Charente). A member of the surrealist group since 1932. His *Au Crible de la Nuit*, written in captivity, is prefaced by a note that ends, 'La guerre, la mort; il n'en fallait pas moins. Vaincu, je crois pour d'autres à la victoire de l'amour.'

Traînoir, Dunkerque, privately printed, 1935.
Maïs, Corti, 1937.
Le Fil de la Nuit, Librairie Tschann, 1938.
Ma Tête à Couper, G.L.M., 1939.
Au Crible de la Nuit, G.L.M., 1948.
A Perte de Vue jumelé avec *Histoire naturelle* de Benjamin Péret, Ussel, privately printed, 1958.

E. L. T. Mesens

Born Brussels, 1903. By 1924 Mesens was already orientated towards surrealism, though the belatedly-published Dadaist review *Œsophage*, on which he collaborated, was held up in the press owing to financial difficulties, and did not appear until 1925. With René Magritte and

Paul Nougé, he was one of the leaders of the first surrealist group in Belgium. Mesens's first contact with the English surrealists occurred when he helped organize the International Surrealist Exhibition in London in June 1936. He has remained in England ever since, living in London, and now devoting himself mainly to the creation of *collages*.

Alphabet sourd aveugle, Brussels, Éditions Nicolas Flamel, 1933.
Troisième Front, Poèmes de Guerre suivi de *Pièces détachées*, London, London Gallery Editions, 1944.
Idolatry and Confusion (in collaboration with Jacques B. Brunius), London, March 1944.
Poèmes 1923-1958, Le Terrain Vague, 1959.

On Mesens:
BRUNIUS, JACQUES, 'Rencontres fortuites et concertées', Catalogue of Mesens Exhibition, Knokke de Zoute, 1963.
EEMANS, MARC, 'E.L.T. Mesens', in *De Periscoop*, vol. IX, no. 11, 1960.

Benjamin Péret

Born Rézé (Loire-Atlantique), 1899; died 1959. Like Breton, Péret was at first drawn to Dadaism, and his first book, *Le Passager du Transatlantique* (1921), was published in Paris in the Collection 'Dada'. But his *Au 125 du Boulevard Saint-Germain*, which appeared two years later, is a characteristic surrealist work, worthy to be reprinted in the collected volume of short stories, *Le Gigot, sa Vie et son Œuvre*. Everything Péret printed subsequently bears the unmistakable mark of surrealism.

Au 125 du Boulevard Saint-Germain, Collection 'Littérature', 1923.
Immortelle Maladie, Collection 'Littérature', 1924.
Il était une Boulangère, Aux Éditions du Sagittaire, chez Simon Kra, 1925.
152 Proverbes mis au Goût du Jour (in collaboration with Paul Éluard), Éditions surréalistes, 1925.
Dormir Dormir dans les Pierres, Éditions surréalistes, 1927.

Au Grand Jour (in collaboration with Louis Aragon, André Breton, Paul Éluard and Pierre Unik), Éditions surréalistes, 1927.

Et les Seins mouraient, Marseille, Les Cahiers du Sud, 1928.

Le Grand Jeu, Gallimard, 1928.

1929 (in collaboration with Louis Aragon and Man Ray), 1929.

De Derrière les Fagots, J. Corti, 1934.

Je Sublime, Éditions surréalistes, 1936.

A Bunch of Carrots (trans. Humphrey Jennings, David Gascoyne, etc.), London, Contemporary Poetry and Prose Editions, 1936.

Je ne Mange pas de ce Pain-là, Éditions surréalistes, 1936.

Remove Your Hat (trans. Humphrey Jennings, David Gascoyne, etc.), London, Contemporary Poetry and Prose Editions, 1936.

Trois Cerises et une Sardine, G.L.M., 1936.

La Parole est à Péret, New York, Éditions surréalistes, 1943.

Le Déshonneur des Poètes, Mexico, Poésie et Révolution, 1945.

Dernier Malheur, dernière Chance, Éditions de la Revue *Fontaine*, 1945.

Main forte, Éditions de la Revue *Fontaine*, 1946.

Feu central, Éditions K, 1947.

La Brebis galante, Les Éditions premières, 1949; reprinted Le Terrain Vague, 1959.

Air mexicain, Arcanes, 1952.

Mort aux Vaches et au Champ d'Honneur, Arcanes, 1953.

Les Rouilles encagées [*Les Couilles enragées*] (published under the pseudonym 'Satyremont'), Eric Losfeld, 1954.

Livre de Chilam Balam de Chumayel, Denoël, 1955.

Anthologie de l'Amour sublime, Albin Michel, 1956.

Le Gigot, sa Vie et son Œuvre, Le Terrain Vague, 1957.

Histoire naturelle jumelé avec *A Perte de Vue* de Jehan Mayoux, Ussel, privately printed, 1958.

Anthologie des Mythes, Légendes et Contes populaires d'Amérique, Albin Michel, 1959.

La Poesia surrealista francese, Milan, Schwarz, 1959.

Dames et Généraux, Milan, Schwarz; Paris, Berggruen, 1964.

On Péret:

BÉDOUIN, JEAN-LOUIS, *Benjamin Péret*, Seghers, Collection 'Poètes d'Aujourd'hui', 1961.

CARROUGES, MICHEL, 'L'Empreinte de Péret', in *Preuves*, vol. IX, no. 106, December 1959, pp. 82-3.

CAWS, MARY ANN, 'Péret: Plausible Surrealist', *Yale French Studies*, no. 31, May 1964, pp. 105-11.

LIBERATTI, A., 'Ode à Péret', (1946), in *Marginales*, vol. LV-LVI, October 1957, pp. 40-1.

MATTHEWS, J. H., *Péret's Score/Vingt Poèmes de Benjamin Péret*, Lettres Modernes, Collection 'Passeport', no. 10, 1965.

'Mechanics of the Marvellous: The Short Stories of Benjamin Péret', *L'Esprit créateur*, (forthcoming).

MAURIAC, CLAUDE, 'La dernière œuvre de Benjamin Péret', in *Le Figaro*, March 2nd, 1960.

MAYOUX, J., 'Benjamin Péret, la Fourchette coupante', in *Le Surréalisme, même*, no. 2, Spring 1957, and no. 3, Autumn 1957.

MAZARS, P., 'L'œuvre et la mort de Péret', in *Le Figaro littéraire*, September 26th, 1959, p. 3.

PASTOUREAU, HENRI, 'Retour de Benjamin Péret', in *Paru*, vol. XLIV, July 1948, pp. 32-3.

PATRI, AIMÉ, 'Légende et réalité de Benjamin', in *Preuves*, vol. IX, no. 106, December 1959, pp. 83-4.

PAZ, O., 'Péret', in *Les Lettres nouvelles*, October 7th, 1959, pp. 36-7.

PIEYRE DE MANDIARGUES, A., 'Péret', in *La Nouvelle Nouvelle Revue française*, vol. XIV, 1959, pp. 931-4.

SOUPAULT, PHILIPPE, 'Benjamin Péret: Audace, Fidélité, Surréalisme', in *Arts*, no. 766, March 16th-22nd, 1960, p. 4.

See also: 'Hommage à Benjamin Péret', in *Arts*, no. 742, September 30th-October 6th, 1959, pp. 3-4.
De la Part de Péret, 1963.

André Pieyre de Mandiargues

Born Paris, 1909. Taking refuge in Monte Carlo during the German occupation, he published there his first book, the surrealist-inspired *Dans les Années sordides*, a collection of prose poems and strange stories that foreshadow his *Le Musée noir*. Although friendly with several surrealist painters before 1939, he came into contact with the group centred on Breton only in 1947.

Dans les Années sordides, privately printed, Monaco, 1943.

Hedera ou la Persistance de l'Amour pendant une Rêverie, Monaco, Hommage, 1945.

L'Étudiante, Fontaine, 1946.

Le Musée noir, Laffont, 1946.

Feu de Braise, Grasset, 1948.

Les Incongruités monumentales, Laffont, 1948.

Les Sept Périls spectraux, Les Pas perdus, 1950.

Soleil des Loups, Laffont, 1951.

Marbre, Laffont, 1955.

Le Lis de Mer, Laffont, 1956.

Les Montres de Bomarzo, Grasset, 1957.

Astyanax, Le Terrain Vague, 1957.

Le Musée noir, Soleil des Loups, Pauvert, 1957.

Le Cadran lunaire, Laffont, 1958.

Le Belvédère, Grasset, 1958.

The Girl Beneath the Lion, (trans. Richard Howard), New York, Grove Press, 1958.

Cartolines et Dédicaces, Le Terrain Vague, 1960.

L'Âge de Craie suivi de *Hedera*, Gallimard, 1961.

Deuxième Belvédère, Grasset, 1962.

La Motocyclette, Gallimard, 1963.

Le Musée noir, suivi de 'Mandiargues ou les droits de l'imagination', par Guy Dumas, Plon, Collection '10/18', 1963.

Sabine, Gallimard, 1964.

On Pieyre de Mandiargues:

ABIRACHED, ROBERT, 'D'un merveilleux moderne', *La Nouvelle Revue française*, vol. XI, June 1963, pp. 1070-5.

BERGER, YVES, 'Le Théâtre de Pieyre de Mandiargues', in *La Nouvelle Nouvelle Revue française*, LXXXIII, 1959, pp. 886-92.

BOURDET, DENISE, 'André Pieyre de Mandiargues', in *La Revue de Paris*, 67ᵉ année, January 1960, pp. 131-41.

GASCHT, ANDRÉ, 'André Pieyre de Mandiargues ou le goût de l'insolite', in *Marginales*, no. 74, October 1960, pp. 18-33.

TEMMER, MARC J., 'André Pieyre de Mandiargues', *Yale French Studies*, no. 31, May 1964, pp. 99-104.

Born Alexandria, Egypt, 1910. He has made more impact as a dramatist than as a poet (see Leonard Cabell Pronko, *Avant-Garde: The Experimental Theater in France*, Berkeley/Los Angeles, University of California Press, Cambridge, Cambridge University Press, 1962).

Poésies I, G.L.M., 1938.
Rodogune Sinne, G.L.M., 1947.
Poésies II, G.L.M., 1948.
Poésies III, G.L.M., 1949.
L'Écolier Sultan, G.L.M., 1950.
Si Tu Rencontres un Ramier, Arche, 1951.
Monsieur Bob'le, Gallimard, 1951.
Les Poésies, Gallimard, 1952.
La Soirée des Proverbes, Gallimard, 1954.
Histoire de Vasco, Gallimard, 1956.
Les Violettes, Gallimard, 1960.
Le Voyage, Gallimard, 1961.

On Schehadé:
KNAPP, BETTINA, 'Georges Schehadé: "He who dreams diffuses into air . . .",' *Yale French Studies*, no. 29, 1962, pp. 108-15.
'Études sur l'œuvre de Georges Schehadé', *Cahiers de la Compagnie Madeleine Renaud—Jean-Louis Barrault*, no. 34, March 1961.

Jean-Claude Silbermann

Born Paris, 1935. Silbermann, painter and poet, joined the surrealist group in 1956, and has contributed to all the surrealist reviews since *Le Surréalisme, même*.

Au Puits de l'Érmite, Pauvert, Collection 'Le Lycanthrope', 1959.

Philippe Soupault

Born Chaville, near Paris, 1897. Co-author with Breton of the first major surrealist text, *Les Champs magnétiques*, written in 1919. Co-director with Breton and Aragon of the first review specifically orientated towards surrealism, *Littérature* (1919-24). In *Entretiens* Breton has commented, 'L'apport de Soupault consiste dans un sens aigu du moderne (ce qu'alors entre nous nous appelons "moderne", sans nous dissimuler ce que cette notion même à d'instable); mais au sens où nous l'entendons, Apollinaire, par exemple, est "moderne" au plus haut point dans *Lundi rue Christine* et dans plusieurs chapitres du *Poète assassine...*' (See J. H. Matthews, 'Apollinaire devant les surréalistes', in 'Guillaume Apollinaire 1964', *aux Lettres Modernes*, 1964.) Soupault contributed to *La Révolution surréaliste*, but only until 1927. By this date he had become dissatisfied both with the growing political preoccupations of the surrealist group and with its concern to codify a theory of surrealism. His exclusion from the group was confirmed, with that of Artaud, in the *Second Manifeste du Surréalisme*, written in 1929.

Les Champs magnétiques (in collaboration with André Breton), Au Sans
    Pareil, 1920.
Georgia, Éditions des Cahiers libres, 1926.
Chansons des Buts et des Rois, 1925.
Profils perdus, Mercure de France, 1963.

Claude Tarnaud

Born Maisons-Laffitte (Seine-et-Oise), 1922. Founded, in collaboration with Yves Bonnefoy and Jaroslav Serpan the 'Révolution la Nuit' movement, in 1945. Joining the surrealist group, he participated in the 1947 International Exhibition in Paris, and collaborated on the review *NEON*. Tarnaud left the surrealist group in the autumn of 1948, after the exclusion of Matta and Brauner. Leaving Paris in 1950, he moved first to Geneva and then to Mogadiscio, Somalia, where he remained for six years ('passant le plus *clair* de son temps parmi les poissons, les

NOTES ON THE POETS . 193

coraux et la nacre de l'Océan Indien et en "correspondances aériennes"
avec le poète Ghérasim Luca'; parts of this correspondence are incorpor-
ated in *L'Aventure de la Marie-Jeanne ou le Journal indien*, an unpublished manuscript at present being revised for publication). Tarnaud
has since lived in New York, where, reconciled with the surrealists, he
helped to organize the International Exhibition in 1961. Tarnaud 'croit
en la valeur exemplaire du et de la Geste, et en la nécessité urgente de
"refaire l'entendement human".'

L'Alphabet spationnel ou les Sept Phases érosglyphiques (in collaboration
    with Henriette de Champrel), (six exemplaires originaux de grand
    luxe, écrits, dessinés, et peints à la main), Geneva, 1952.
The Whiteclad Gambler ou les Faits et Gestes de H. de Salignac, Geneva,
    Imprimerie de la Sirène, 1952.
La Forme réfléchie, Le Soleil Noir, 1954.
La Rose et la Cétoine la Nacre et le Noir, Méconnaissance, 1958.
Piano mécanique avec Univac onirique (*Thelonious Sphere Monk*), New
    York, privately printed, 1960.
Braises pour E. F. Granell (in collaboration with E. F. Granell),
    Éditions Phases, 1964.

APPENDIXES

1. Surrealist Reviews in French and English

Littérature, 1919-24.
La Révolution surréaliste, 1924-9.
Le Surréalisme au service de la Révolution, 1930-3.
Mauvais Temps (Brussels), 1935.
Minotaure, 1935-8.
Bulletin International du Surréalisme, 1935-6. (Prague, Santa Cruz de Tenerife, Brussels, London—four numbers.)
L'Échange surréaliste (Tokyo), 1936.
London Bulletin, 1938-40.
Clé, 1939.
Tropiques (Martinique), 1941-5.
Arson (London), 1942.
VVV (New York), 1942-4.
Le Clair de Terre, 1944.
Fulcrum (London), 1944.
Dint (London), 1945.
Free Unions (London), 1946.
La Révolution la Nuit, 1946-7.
Les deux Sœurs (Brussels), 1947.
La Part du Sable (Cairo), 1947.
Cobra (Brussels), 1948.
NEON, 1948-9.
Cahiers surréalistes (Lisbon), 1948-50.
L'Age du Cinéma, 1950.
Les Lèvres nues (Brussels), 1951.
Médium, 1952-3.
Médium (nouvelle série), 1953-5.
Le Surréalisme, même, 1956-9.
Front unique (Paris, then Milan), 1956-60.
BIEF, 1958-60.
La Brèche, 1961- . . .
Brumes blondes (Amsterdam), 1964- . . .

2. Reviews in French and English which have devoted a Special Number to Surrealism

L'Amour de l'Art, 1934.
Cahiers d'Art, no. 5-6, 1935; no. 1-2, 1936.
Cahiers du Sud, no. 280, 1946.
Contemporary Poetry and Prose (London), no. 2, June 1936.
Le Disque vert, 1925.
Documents 34 (Brussels), June 1934.
L'Esprit créateur, (forthcoming).
L'Étoile de Mer (Kobé, Japan), 1934.
Études cinématographiques, 1965.
La Gazette des Lettres, no. 39, June 28th, 1947.
Mizué (Tokyo), no. 388, May 20th, 1937.
La Nef, no. 63-4, March-April, 1950.
New Directions in Prose and Poetry (Norfolk, Conn.), 1940.
New Road (Billericay, Essex), 1943.
Les Quatre Vents, no. 4, 1946; no. 8, 1947.
La Ruche (Haiti), January 1st, 1946.
La Rue, no. 5-6, June 1952.
This Quarter, September 1932.
Variétés (Brussels), 1929.
View (New York), no. 7-8, October-November 1941.
Yale French Studies, no. 31, May 1964.

3. Other Collective Publications in French and English

Breton, etc. *Violette Nozière*, Brussels, Éditions Nicolas Flamel, 1933.
Cahiers G.L.M., no. 3, November 1936.
Julien Levy, ed., *Surrealism*, New York, The Black Sun Press, 1936.
Herbert Read, ed., *Surrealism*, London, Faber; New York, Harcourt Brace, 1936.
Surrealist Objects and Poems, London Gallery Editions, n.d. (1937).
Cahiers G.L.M., no. 7, March 1938.
Plastique, no. 4, Paris, New York, 1939 ('L'Homme qui a perdu son squelette', roman collectif par Arp, Duchamp, Éluard, Ernst, Hugnet, Pastoureau, Prassinos).

Noël Arnaud, etc., *Transfusion du Verbe*, Les Éditions de la Main à Plume, 1941.

Géographie nocturne, Cairo, Imprimerie L, September 1941.

La Conquête du Monde par l'Image, Les Éditions de la Main à Plume, 1942.

Breton & Duchamp, *First Papers of Surrealism*, New York, Co-ordinating Council of French Relief, 1942.

Mesens, ed., *Message from Nowhere*, London Gallery Editions, November 1944.

Arnaud, etc., *Avenir du Surréalisme*, Le Quesnoy (Nord), Quatre Vingt et Un, 1944.

La Terre n'est pas une Vallée de Larmes, Brussels, Éditions La Boétie, 1945.

Breton & Duchamp, *Le Surréalisme en 1947*, Éditions Pierre à Feu, 1947.

Rupture inaugurale, Paris, Éditions surréalistes, 1947.

Boîte alerte, Missives lascives, Paris, Galerie Daniel Cordier, 1959.

Albert Fanjeaud, etc., *Maintenance-Rupture*, 1963.

4. *Books in French and English devoted to Surrealism*

(Unless otherwise indicated the place of publication
for books in French is Paris, and for books in English,
London.)

AEGERTER, E., *Regards sur le Surréalisme*, Imprimerie du Palais, 1939.

ALQUIÉ, FERDINAND, *Philosophie du Surréalisme*, Flammarion, 1955.

ARTAUD, ANTONIN, *A la grande Nuit ou le Bluff surréaliste*, privately printed, 1927.

BALAKIAN, ANNA, *Surrealism: The Road to the Absolute*, New York, The Noonday Press, 1959.

BÉDOUIN, JEAN-LOUIS, *Vingt Ans du Surréalisme: 1939-1959*, Denoël, 1961.

BORDUAS, PAUL-EMILE, *Refus global: En Regard du Surréalisme actuel*, Montreal, 1948.

BRETON, ANDRÉ, *Qu'est-ce que le Surréalisme?*, Brussels, Henriquez, 1934. *What is Surrealism?* Faber & Faber, 1936.

BRETON, ANDRÉ and ÉLUARD, PAUL, *Dictionnaire abrégé du Surréalisme*, Galerie des Beaux-Arts, 1938.

CARROUGES, MICHEL, *André Breton et les Données fondamentales du Surréalisme*, Gallimard, 1950.

CAZAUX, JEAN, *Surréalisme et Psychologie*, Corti, 1938.

CRASTRE, VICTOR, *Le Drame du Surréalisme*, Les Éditions du Temps, 1963.

DUPLESSIS, YVES, *Le Surréalisme*, Presses Universitaires (Collection 'Que sais-je?'); enlarged, revised edition 1955, revised edition 1964.

ESTIENNE, CHARLES, *Le Surréalisme*, Éditions Aimery Somogy, 1956.

EY, HENRI, *Le Psychiatre devant le Surréalisme*, Centre d'Éditions psychiatriques, 1945.

FOWLIE, WALLACE, *Age of Surrealism*, Bloomington, University of Indiana Press, 1960 (originally 1950).

GASCOYNE, DAVID, *A Short Survey of Surrealism*, Cobden Sanderson, 1935.

HERCOURT, JEAN, *La Leçon du Surréalisme*, Geneva, Les Éditions du Verbe, 1947.

JAN-TOPASS, *La Pensée en Révolte: Essai sur le Surréalisme*, Brussels, Henriquez, 1935.

JOSEPHSON, MATTHEW, *Life Among the Surrealists: A Memoir*, New York, Holt, Rinehart & Winston, 1962.

KRIESER, JULES, *Les Ascendances romantiques du Surnaturalisme contemporain*, Éditions C.L., 1942.

LESAGE, LAURENT, *Jean Giraudoux, Surrealism and the German Romantic Ideal*, Urbana, University of Illinois Press, 1952.

MANGEOT, G., *Histoire du Surréalisme*, Brussels, Henriquez, 1934.

MATTHEWS, J. H., *An Introduction to Surrealism*, University Park, Pennsylvania, The Pennsylvania State University Press, 1965.

NADEAU, MAURICE, *Histoire du Surréalisme*, (1945), *Documents surréalistes*, (1946), Éditions du Seuil. Reprinted in one volume (with documents reduced in number), Club des Éditeurs, 1958.

NEAGOE, PETER, *What is Surrealism?*, New Review Publications, (Paris), 1932.

SAURO, ANTOINE, *Le Surréalisme ou Bolchevisme et Littérature*, Naples, 1947.

TZARA, TRISTAN, *Le Surréalisme et l'Après-Guerre*, Nagel, 1948.

VAILLAND, ROGER, *Le Surréalisme Contre la Révolution*, Éditions sociales, 1948.

VAN DER ELST, RENÉ, *Du Côté du Surréalisme*, Éditions de la *Revue des Idées et des Lettres*, n.d.

5. *Selected Articles in French and English devoted to Surrealism*

ALQUIÉ, FERDINAND, 'Le beau et l'imaginaire dans le Surréalisme', *Revue d'Esthétique*, vol. IX, 1955, pp. 421-5.

'Humanisme surréaliste et Humanisme existentialiste', *Cahiers du Collège philosophique*, 1948.

BALAKIAN, ANNA, 'The Metaphysical Gamut of Surrealism', *The French Review*, vol. XVIII, February 1945.

BAROIS, MAURICE, 'Actualité du Surréalisme', in *Tendances*, no. 6, June 1960, pp. 1-11.

BATAILLE, GEORGES, 'Le Surréalisme et sa Différence avec l'Existentialisme', *Critique*, no. 2, July 1946.

'Le Bonheur, l'Érotisme et la Littérature', *Critique*, no. 35, April 1949 and no. 36, May 1949.

BEAUJOUR, MICHEL, 'Sartre and Surrealism', *Yale French Studies*, no. 30, 1963, pp. 86-95.

BERTHOULD, DORETTE, 'Notes sur le Surréalisme', *La Suisse contemporaine*, January 1948.

BLANCHOT, MAURICE, 'Le Surréalisme', *L'Arche*, August 1945, pp. 119-24.

'Réflexions sur le Surréalisme', in his *La Part du Feu*, Gallimard, 1949, pp. 92-104.

'L'Écriture automatique, l'Inspiration', *La Nouvelle Nouvelle Revue française*, March 1953, pp. 485-92.

BOL, VICTOR P., 'Le Surréalisme', *La Nouvelle Revue*, vol. XVII, 1953, pp. 199-207.

BOURNIQUEL, CAMILLE, 'Magie, Surréalisme et Liberté', *Esprit*, November 1947, pp. 775-82.

BROWN, FREDERICK, 'The Inhuman Condition: An Essay Around Surrealism', *The Texas Quarterly*, vol. V, no. 3, Autumn 1962, pp. 161-73.

BRUN, JEAN, 'Philosophie du Surréalisme', *Revue de Métaphysique et de Morale*, July-December 1956, pp. 360-9.

CALAS, NICOLAS, 'Surrealist Intentions', in *Transformation*, vol. I, no. 1, 1950, pp. 48-52.

CALLOT, ÉMILE, 'L'Aventure surréaliste', in his *Cinq Moments de la Sensibilité contemporaine*, Annency, Gardet, 1958, pp. 121-75.

CAMUS, ALBERT, 'Surréalisme et Révolution', in his *L'Homme révolté*, Gallimard, 1954, pp. 115-27.

CARROUGES, MICHEL, 'Le Canard du Doute', *Monde Nouveau*, vol. II, no. 102, July 1956, pp. 88-102.

'Le Labyrinthe du Cristal', *Cahiers du Sud*, no. 294, 1949, pp. 299-308.

'Le Passé et l'Avenir du Surréalisme', *La Vie intellectuelle*, November 1945, no. 10, pp. 125-35.

'Le Sismographe surréaliste', *Polarité du Symbole*, 1960, pp. 129-34.

'Surréalisme et Occultisme', *Les Cahiers d'Hermès*, no. 2, 1947.

'Le Surréalisme et les Philosophes', *Critique*, 1956, pp. 438-45.

CASSOU, JEAN, 'Le Surréalisme et le Dadaisme', *L'Amour de l'Art*, no. 3, March 1934, pp. 337-44.

'Propos sur le Surréalisme', *La Nouvelle Revue française*, vol. XXIV, 1925, pp. 30-4.

CHAVARDÈS, MAURICE, 'Grandeur et Frontières du Surréalisme', *La Vie intellectuelle*, April 1951, pp. 91-103.

CONNOLLY, CYRIL, 'Surrealism', *Art News* (New York), vol. L, no. 7, part II, November 1951, pp. 130-70.

CRASTRE, VICTOR, 'Le Drame du Surréalisme', *Les Temps modernes*, vol. IV, 1949.

'Perspectives surréalistes', *L'Âge nouveau*, no. 37, May 1949, pp. 60-8.

'La Synthèse surréaliste', *Synthèses*, September-November, 1951.

CUZIN, FRANÇOIS, 'Situation du Surréalisme', *Confluences*, no. 20, June 1943, pp. 507-24.

DOMS, ANDRÉ, 'Du Surréalisme et au delà', *Marginales*, no. 87, December 1962.

DUPUY, J., 'Bilan du Surréalisme', *Renaissance*, no. 16, November 1945, pp. 86-77.

FOUCHET, MAX-POL, 'Le Surréalisme aux États-Unis', *Fontaine*, vol. VI, no. 32, 1944, pp. 195-6.

GAUSS, CHARLES E., 'The Theoretical Background of Surrealism', *The Journal of Aesthetics and Art Criticism*, vol. II, 1948, pp. 37-44.

GERSHMAN, HERBERT S., 'Surrealism: Myth and Reality', in *Myth and Symbol* (edited Bernice Slote), Lincoln, University of Nebraska Press, 1963, pp. 51-7.

HARDRÉ, JACQUES, 'Present State of Studies on Literary Surrealism', *Yearbook of Comparative and General Literature*, no. 9, 1960, pp. 43-66.

'Surrealism: Twentieth Century Renaissance', in *Lectures in the Humanities*, 14th and 15th Series, Chapel Hill, 1960.

HOOG, ARMAND, 'Développement du Surréalisme noir', *La Nef*, no. 47, October 1948, pp. 105-8.

'Permanences du Surréalisme', *La Nef*, no. 35, August 1947, pp. 119-22.

LANGLOIS, M., 'Notes sur le Surréalisme', *Existence*, October 1937.

LAPIE, P. O., 'L'Insurrection surréaliste', *Cahiers du Sud*, vol. XII, January 1935, pp. 51-60.

LOEB, JANICE, 'Surrealism', *The Vassar Review*, February 1935, pp. 22-5.

MABILLE, PIERRE, 'Le Surréalisme, un nouveau Climat sensible', *Courrier du centre international d'Études poétiques*, June 1957, pp. 27-30.

MATTHEWS, J. H., 'Literary Surrealism in France since 1945', *Books Abroad*, Fall 1962, pp. 356-64.

'Surrealism and England', in *Comparative Literature Studies*, vol. I, no. 1, 1964, pp. 55-72.

MAURIAC, CLAUDE, 'Surréalisme et Révolution', *La Table Ronde*, April 1948, pp. 716-36; May 1948, pp. 862-900.

'Breton et l'Humour noir', in his *Hommes et Idées d'Aujourd'hui*, Albin Michel, 1953, pp. 147-60.

MILLER, HENRY, 'Open Letter to Surrealists', in his *Cosmological Eye*, Norfolk, Conn., New Directions, 1939; Nicholson & Watson, 1945.

O'REILLY, J. P., 'Joyce and Beyond Joyce: Surrealism in France', *Living Age*, October 1931, pp. 250-5.

PEYRE, HENRI, 'The Significance of Surrealism', *Yale French Studies*, vol. I, no. 2, Fall-Winter 1948.

PRIGIONI, PIERRE, 'André Breton et le Surréalisme devant la critique', *Romanistisches Jarhrbuch*, vol. XIII, 1962, pp. 119-49.

RENÉVILLE, ROLAND DE, 'Aspects du Surréalisme', *La Nef*, no. 10, September 1945, pp. 123-6.

'Le Renouveau surréaliste', *La Nef*, no. 20, July 1946, pp. 126-32.

ROBERT, GUY, 'Surréalisme et Automatisme', *La Revue dominicaine*, no. 65, 1959, pp. 208-17.

ROBILLARD, HYACINTHE, 'L'Automatisme surrationnel et la Nostalgie du Jardin d'Eden', *L'Amérique française*, vol. II, no. 4, 1950.

'Le Surréalisme: La Révolte des Intellectuels', *La Revue dominicaine*, no. 54, 1946, pp. 274-83.

ROUSSELOT, JEAN, 'Le Surréalisme est manifeste', in his *Présence contemporaines*, N.E.D., 1959, pp. 243-61.

SCHMIDT, ALBERT-MARIE, 'Destinée du Surréalisme', *La Revue des Sciences humaines*, Fasc. 45, January-March 1947, pp. 62-74.

'État présent du Surréalisme', *La Gazette des Lettres*, June 15th, 1951, pp. 23-6.

SCHNEIDER, PIERRE, 'A Note on Exquisite Corpse', *Yale French Studies*, vol. I, no. 2, Fall-Winter 1948.

SOUPAULT, PHILIPPE, 'Les Pas dans les pas', in his *Profils perdus*, Mercure de France, 1963, pp. 139-72.

THIBAUDET, ALBERT, 'Le Surréalisme', *La Nouvelle Revue française*, vol. XXIV, March 1925, pp. 333-41.

WARNIER, RAYMOND, 'Trente Ans après...le Surréalisme', *Romaniesche Forschungen*, vol. LXVII, 1956, pp. 83-100.

6. *Books in French and English devoted to Surrealist Poetry*

BALAKIAN, ANNA, *Literary Origins of Surrealism: A New Mysticism in French Poetry*, New York, King's Crown Press, 1947.

BÉDOUIN, JEAN-LOUIS, *La Poésie surréaliste*, Seghers, 1964.

CARMODY, FRANCIS J. & MCINTYRE, CARLYLE, *Surrealist Poetry in France*, Berkeley, California Book Co., 1955.

LEMAITRE, GEORGES E., *From Cubism to Surrealism in French Literature*, Cambridge, Mass., Harvard University Press, 1941.

HUGNET, GEORGES, *Petite Anthologie poétique du Surréalisme*, Éditions Jeanne Bucher, 1934.

MONNEROT, JULES, *La Poésie moderne et le Sacré*, Gallimard, 1945.

RAYMOND, MARCEL, *De Baudelaire au Surréalisme*, Corrêa, 1933 (new revised edition, published by Corti, 1952).

7. *Selected Articles in French and English devoted to Surrealist Poetry*

BEMAVAL, YVON, 'Poésie et Psychanalyse', *Cahiers de l'Association internationale des Études françaises*, no. 7, June 1955, pp. 5-22.

CHIARI, JOSEPH, 'Surrealism', in his *Contemporary French Poetry*, Manchester, Manchester University Press, 1952.

CLOUARD, HENRI, 'La Poésie du Parnasse au Surréalisme', in his *Neuf Siècles de Littérature française*, Delagrave, 1958, pp. 589-672.

GERSHMAN, HERBERT S., 'Valéry, Breton and Éluard on Poetry', *The French Review*, vol. xxxviii, no. 3, January 1965, pp. 332-6.

GLICKSBERG, CHARLES I., 'Mysticism in Contemporary Poetry, especially Surrealist Poetry', *Antioch Review*, June 1943.

MATTHEWS, J. H., 'Some Post-War Surrealist Poets', *Yale French Studies*, no. 31, May 1964, pp. 145-53.

MAULNIER, THIERRY, 'Poésie et Révolution', *Hommes et Mondes*, vol. V, 1946, pp. 175-80.

PAULHAN, JEAN, 'Crise de l'Image', *Confluences*, no. 31, May 1944, pp. 366-71.

RENÉVILLE, ROLAND DE, 'Dernier État de la Poésie surréaliste', *La Nouvelle Revue française*, February 1932, pp. 284-93.

'Le Surréalisme et la Poésie', *La Nouvelle Revue française*, vol. CCXLI, 1933, pp. 614-18.

'Trois Aspects de la Poésie', *La Nef*, April-May, 1945, pp. 56-61.

RHODES, S. A., 'Case for the Surrealist Poet', *Books Abroad*, June 1943.

SPENS, WILLY DE, 'Des Précieux aux Surréalistes', *La Nouvelle Revue française*, no. 107, November 1961, pp. 941-6.